JN115875

小児外科医50年の軌跡

青山興司

医道

―小児外科医50年の軌跡―

はじめに

小児外科医として50年。医の道を振り返ってみると、メスを手に多くの子どもたちの病に立ち向かってきた。小児外科の教授となった川崎医科大学では医学生教育に全身全霊を傾けた。国立病院機構岡山医療センターの院長時代には、赤字に苦しむ病院の黒字化への道筋をつけ、地域医療の充実に力を注いだ。

そして今――。３６５日、いつでも患者を受け入れる「青山こどもクリニック」で日々、子どもたちと向き合っている。この本には、そんな生涯現役を胸に刻んだ私の医師としての道、「医道」を記している。

この本を書き上げようとしている今、世界は新型コロナウイルス（COVID-19）の脅威にさらされている。ワクチン開発が進められているとはいえ、これから先はコロナウイルスとともに生きる時代に突入していることを人類は覚悟しなければならない。従来の価値観が大きく崩れる中で、どう生きていくか、私たち一人ひとりが問われている。

地球が誕生し、ウイルスがこの世に出現してからの歴史と比較したら、私の小児外科医としての時間は比較にできないほど短い。だが、この本を手に取った人々に私の臨床医としての姿勢、学生教育のあり方、病院経営の考え方などが少しでも伝われば幸いである。

コロナ禍による混迷の時代だからこそ、私の半世紀の医の道が、何かの役に立つことを願ってやまない。私のような〝医者バカ〟もいるのだなと批評的な目を持って読んでいただければ幸甚である。

関係諸氏に心からの感謝の意を込めて。

目次 ◎ 医道 ―小児外科医50年の軌跡―

装丁・デザイン　横幕朝美
組版　守安　涼（吉備人）

第1章

私のルーツ――母への感謝に代えて

2歳　私

医者になって、はや半世紀以上がたった。命を救えた患者、助けられなかった患者。長く臨床医をやっていると、さまざまな場面に遭遇する。しかし、「患者のための医療」という志を胸にいつも前を向いて進んできたつもりである。

医道、つまり私が歩んできた医の道を形にして残したい――。その思いで今回筆を執った。半世紀を語るにはまず、私の幼少期からの話から始める必要がある。幼いころの環境が、今の私をつくったといっても過言ではないからである。

まず私の両親について紹介したい。

父、青山勉は1908年（明治41年）、6人兄弟の次男として生まれた。誠之館高校（広島県福山市）を卒業後、昭和医科大学に入学、卒業後に岡山大学外科学教室で研修を受けた。1936年（昭和11年）、28歳で母と結婚し、岡山で新婚生活を送った。1942年（昭和17年）に故郷尾道の地で、内科医の青山俊三（私にとっては伯父に当たる）と一緒に外科医として青山

父親

病院を開業した。私が誕生したのはこの年で、その2年後、2歳になった1945年（昭和20年）に父は他界した。父の記憶思い出は一切なく、断片的に家族から聞いたのみである。

母　青山澄子の福祉関係履歴

【主な役職履歴】
昭和34年　尾道連合未亡人会会長
昭和39年　尾道市連合婦人会会長
昭和40年　尾道市精神薄弱児育成会会長
昭和42年　広島県家庭裁判所調停委員
昭和53年　『尾道さつき会』設立
昭和55年　広島県母子寡婦福祉連合会会長
昭和56年　尾道市教育委員
昭和57年　社会福祉法人『尾道さつき会』理事長
昭和61年　全国民政委員児童協議会婦人部会常任委員
平成2年　広島県青少年健全育成県民会議副会長
平成3年　尾道市女性協議会会長
平成20年　4月23日逝去

【主な受賞歴】
昭和49年5月　『日本のおかあさん』受賞
平成2年11月　勲五等瑞宝章
平成6年5月　ソロプチミストWHW賞
平成10年7月　法務大臣表彰矯正事業に対する貢献

母・澄子は1917年（大正6年）1月1日、広島県三原市小泉町に父池田一堅、母かつの2女として生まれた。きょうだいは皆女性で6人。1933年（昭和8年）、広島県豊田郡忠海尋常高等学校を卒業し、1936年（昭和11年）19歳のとき父と結婚した。1941年（昭和16年）まで父の勤務先である岡山に在住、1942年（昭和17年）から父が伯父と共に青山病院を開業するため、尾道に戻った。

父が亡くなったのは結婚して10年目、母が29歳の時だった。8歳を筆頭に女４名男１名の子どもを抱える寡婦となった。

子どもを養うため、１９５０年（昭和25年）に尾道市栗原町に文具店を開業、１９６７年（昭和42年）にすべての子どもが独立した生活が可能となった時点で17年間続けた文具店を廃業した。その後、２人の障がい者のケアを皮切りに、福祉活動に一生をささげた。２０08年（平成20年）に92歳での生涯を閉じた。父の死以後、独身を貫いた。母の福祉活動の履歴を表にまとめた。

母親

母の告別式で、思い出を少し話させていただいた。まず、物事を他人に強要しない人であり、決して愚痴を言わない人であった。そして、何事に対しても前向きでくよくよと後ろを振り返らない人であった。どのような人に対しても全く同じ態度で接する人であった、と。

勉強に関していえば、飽き性な私に少ない収入をやりくりして、オルガンや絵画、数学に英語とさまざまな習い事をさせてくれた。しかし、どのように思い出しても、小学校４年を最後に、私は母に一度も「勉強しなさい」と強要された記憶がない。親になって感じた事であるが、

家族：右端が私

後列左から　叔母・叔母・母　前列
姉長女・従兄・姉次女・姉三女

子どもにはどうしても勉強しなさい、と言いたいものである。この母の寛大さのおかげで、よく遊び、本当に楽しい学生生活を送る事ができた。

　金銭的な事を含め、女手一つで5人の子どもを育てるのは大変な事だったと思う。数多くの困難や嫌な思いをする事があったはずだ。父の遺産が枯渇したとき、開いた文具店の近くに競合者ができて経営上苦戦したとき、2人の障がい者ケアから始め、10カ所以上の施設を持つまでに成長した「尾道さつき会」の設立、運営のとき……。これらには非常に多くの困難や問題があった事が想像される。そのような時でも常に前向きに考え、進んできた人であった。この心構えがなければ到底成し得なかったであろう。

　私を含め、姉妹のだれも母の愚痴を聞いた記憶がないという。親戚の人たちも全くないそうである。

相手が障がい者であろうが、貧しい人であろうが、偉い政治家であろうがどのような人にも同じ態度で接してきたのも母の姿勢だった。これが障がい者施設を運営できた一因であるとも思う。

私自身を振り返ってみると、人にものを強要することは好きではない。また、くよくよせず、何事も前向きに考える事ができるし、誰に対しても同じ態度で接する事に全く抵抗はない。母のＤＮＡを受け継いでいると思う。しかし「愚痴を言わない」は日々努力しているが、どうしても実行できない。残念ながら今の年齢になっても決して母を超える事ができないのである。

これらを含めて、母は私の幼少時から常に生き方の本質をその背中で示してくれた。これこそがその後私が医師として生きる原動力になったと思う。母に感謝する以外に何物もない。

さて、私こと青山興司は１９４２年（昭和17年）11月1日、青山家の長男として生を受けた。姉が３人おり、初めての男の子とあってとても可愛いがられたそうだ。

２歳の時に父が亡くなって以降、生活は慎ましいものだった。近所にニワトリを数匹飼っている家から子どもの好物である卵を買って食べるのが我が家にとってはささやかな贅沢だ。当時の高級品であるバナナは到底手に入るものではなく、喜寿を越えた今でも卵とバナナは私の好物だ。

母子家庭のためか、何度も泥棒に狙われ、怖い思いをした記憶がある。ある時、蔵に保存していた衣類が大量に盗まれた。たまたま地元の祭で盗まれた姉の着物を着ている人を見つけ、警察に連絡して捕まえてもらったのだが、犯人の近所の若者には支払能力がなく、自力での買い戻しが必要であった。自分の物をまた買い戻さなければならないという理不尽さについての記憶が鮮明に残っている。

小学校時代の嫌な思い出が二つある。一つは出席番号が「アオヤマ」で一番だった事だ。そのため、予防注射は常にトップバッターで、痛みが大の苦手な私はいつもいやだった記憶がある。しかし後の予防接種廻し打ちによるB型肝炎発症の危険性を考えると何が幸いするか分からない。

もう一つは眼科の集団検診である。今考えると、真偽の程は分からないが、非常に多くの生徒が目のクラミジア感染症・トラコーマと診断され、放置すると眼が見えなくなると脅された。その目がつぶれる写真が保健室にしっかりと飾ってあった。一旦トラコーマと診断されたら、週に2回ぐらい保健室で眼軟膏を無理矢理入れられた。これがねばねばしたもので、嫌で嫌でたまらなかった。今でもトラウマとなり目薬がなかなか入れられない。

栗中グループ運動会仮装・各国首領：後列右から二人目が私

高校時代・友人と：前列中が私

1958年（昭和33年）、広島県立尾道北高校に入学した私は自由闊達に日々を過ごした。登下校はいつも6、7人の仲間と一緒だ。学校が近かった事もあり、皆がわが家を最終登校準備地として集まり、朝、集団で登校した。みんな一緒に遅刻することもあり、先生から出身校・栗原中学校の名をとって「栗中グループ」と目をつけられ、よく叱られたものである。

帰りも常に一緒で、早く授業が終われば、高校のすぐ隣の水源地で待ち合わせて一緒に帰った。バスケット・バレー・卓球などスポーツが好きな者も多く、クラブには所属しないが、高校のチームと一緒に練習したり、試合をしたりする事もあった。卒業後も仲間との親交が続き、1月2日は皆で集まって語り尽くす恒例行事が30年間続いた。未だにその仲間とは交流している。高校時代の3年間はよい仲間に恵まれ本当に楽しかった。

卒業が近くなると多くの生徒は進路に迷うものだ。だが、私には医者以外の選択肢は無かった。きっかけの一つが母の一言だった。

家の鴨居の上に父の若いときの写真が飾ってあった。母は「父は立派な外科医だった」とよく言っていた。しかし、医師になりなさいと言われた記憶は一度もない。ただ、それを聞いて育った私は、自分も大きくなったら外科医になるものと考えていたのである。

父の記憶がない分、伯父の存在も人生の選択に大きな影響を与えた。伯父は尾道市の片田舎の川上町で内科医院を開業していた。非常に評判がよく、歩いて10分の所に電車の停留所があったが、診療時間にはその電車の乗客のほとんどが診療所の患者であったそうだ。ある時、伯父から使用回数の多さから、象牙の耳当てがすり減った聴診器を見せてもらった時、患者の多さを実感した。

父の死後数年は伯父が一人で内科の医院を経営していた。伯父は後に尾道市長をするほどの優れた人物であり、自院の中に製薬会社のようなものをつくり、薬の製造・販売もしていたようである。

経営戦略にも長けていた。伯父はある時、内科医院から入院患者の多い精神病院に変更する事を考えた。当時、精神病院は住民らの評判はよくなく、市中から遠く離れた田舎につくられていたそうである。比較的駅に近く、多くの住民が住んでいる栗原町内につくることは反対が多く実現できる状態ではなかったらしい。そこで伯父は医療を続けながら、住民の理解を得るために数カ月間毎日個別訪問をするなど、身体を使った渾身の努力をしたらしい。その結果、やっと住民の理解を得る事ができて実現したという。高校生の頃、伯父からその時の苦労話を聞かされ、事を成すには並大抵の努力ではできない事を理解した。しかし、一生懸命努力をすれば、不可能と思えることも可能になることも教えられた気がした。

医師になりたい、と思っても、問題は試験に受かるかどうかだ。当時は模擬試験などで合否を推測できる全国レベルの基準がなく、「ひょっとすると合格するかもしれない」という甘い気持ちで、父が席を置いた岡山大学の入学試験を受けた。本気の勉強をせず、遊んでいた高校時代を考えれば、入学試験に合格するはずがない事は明らかだった。結果、入試には見事に失敗し、「井の中の蛙」を思い知らされた。

1年間の浪人時代は自分でも本当によく勉強した。高校の3年間分以上は勉強したと思う。予備校の良い師とも出会い、その時、「勉強は面白い」と心から思った。それまで全く感じたことのない感情で、これは後の人生でも非常に役立つ良い経験であったと思う。私にとっては「浪人万歳」であり、よい師との出会いの喜びでもあった。

そして、私は念願の岡山大学医学部に入学する。医道の歩みがそこから始まる。

第2章

命を預かる——小児外科医のスタートライン

Ⅰ　良き師　良き仲間

1962年（昭和37年）4月に、岡山大学に入学して、最初に驚いたのはドイツ語の試験だ。私は浪人中の延長路線でしっかり勉強して臨んだこともあり、特段難しいとは思わなかったが、クラスの半数以上が不合格であった。皆こんなものかと、それ以来大学の授業への集中を緩め学生生活を楽しむこととした。

しばらくして、麻雀仲間ができ、医学部バレー部に所属したため、彼らと行動を共にすることが多くなった。大学入学後の2年間は、自由時間が多く、麻雀・社交ダンスのレッスン・バレーの練習に明け暮れた。

3年生から学舎が本部キャンパスから医学部附属病院がある鹿田キャンパスに移り、学習の時間は増えたが、それでも最も力を入れたのはバレーの練習だったように思う。結果的には最終学年の時、医学部バレー部の最終目標である西日本総合医学生体育大会で、岡大医学部バレー部創設以来初めて優勝するという快挙を成し遂げることができた。

バレーの練習の後、仲間との麻雀も楽しみで、多いときは週間1、2回程度も早朝までやった記憶がある。麻雀タコができ、ほとんどの杯は盲牌できるようになった。大学卒業後も長く付き合っているのは、やはりバレー部と麻雀の仲間たちだ。今でも貴重な友人である。

留年することなく6年間で無事大学を卒業した。卒業が間近になると将来どのような医師になるか、どのような専門コースを選択するかが最大の問題となる。やはり〝血〟というものだろうか、どうしても外科医になりたいと思った。外科医だった父が患者を診察する姿はもちろん、顔さえ覚えてないにもかかわらず、私は父と同じ道を歩むことを選択した。同時に、私は子どもがとても好きだったので、子どものための外科『小児外科』を選んだ。当時、私の周囲で子どもの手術をしている医師を見回すと、小児科を勉強した人はいないように見えた。ほとんどは成人の外科の片手間にやっている状態だ。小児外科は当時は比較的新しい領域だったので、自分が切り拓くのだという熱い思いも心の中にはあった。

小児外科医になるためには、まず子どもの生理を充分に知っておかなければならないと決め、まず小児科での臨床を経験した上で、その後小児外科医になろうと考え

山内逸郎先生

た。では誰に師事すべきかを迷ったが、国立岡山病院の山内逸郎先生に辿りついた。山内先生は日本での小児科、特に新生児医療で有名な人であった。山内式カテーテルといって、病弱新生児・未熟児に十分な栄養を与えるために鼻からビニールチューブを入れて、これを通してミルクを注入するという方法を開発した人である。機器類の少なかった時代にさまざまな試行錯誤をしながら小児医療を牽引された人である。

私が岡山大学医学部を卒業した1968年（昭和43年）は、ちょうど学園紛争が最もさかんな時期であり、皆は団結することが必要と考え、クラス決議で卒業後は全員、大学の医局に入局することが決議された。私は山内先生のいる国立岡山病院に行くという条件で、クラス決議に従い、一時、岡山大学の小児科に席を置いた。その頃、岡山大学の小児科は浜本英次教授の定年が間近であり、助教授の木本浩先生、後に高知医大の学長をされる喜多村勇先生、後の小児神経科の教授大田原俊輔先生、後の川崎医科大学小児科教授守田哲朗先生らが教授候補に上がっていた。山内逸郎先生も候補の一人に上がっていた。選考は大変もめた結果、1年後に木本先生が教授になられた。ともあれ、そのような中で私は浜本教授の下の大学の小児科に2カ月ほど席を置いた。

当時の教授の権力は絶大で、教授が黒と言えば白も黒になるように思えた時代であった。また、さながら昨今の医療ドラマよろしく、教授回診に合わせて患者の調整が行われたり、病棟婦長が研修医をアゴで使ったりする時代でもあった。私にとって馴染みにくい環境で、小児医療に対して失望感を感じざるを得なかった。そのような状況で国立岡山病院の山内先生の門をたたいたのである。

山内先生の指導下に入って驚いたのは、仕事は非常にハードだったが、臨床ばかりではなく、試験官の振り方まで、夜を徹していろいろなことを教えていただいた。夜中に急患が入れば必ず呼び出しがあり、一緒になって真剣に討論した。とにかく患者を診ることが楽しみになり、小児医療とはこんなに面白いものかと思うようになった。その頃の私はほとんど病院に泊まっており、１カ月のうち40時間しか病院の外に出ていないというような月もあって、非常に充実した期間を送ることができた。今でも医療の面白みを教えていただいた山内先生に感謝している。

私が卒業時の約束通り、岡山大学から国立病院に移るとき、大学の小児科の先輩から言われたことがある。「君は、大学に残らず国立に行くというのはどういうことか、しかも山内先生の所へ行くとは」と批判とも思われることを言われたのである。私は全く意に介さなかったが、その先輩にとって、医師は大学の医局人事で動くものなのに、私は自分勝手に医局を離れ、山内逸郎先生の門をたたくとは〈けしからん〉ことであったのであろう。

国立に行ってはじめて分かったことだが、山内先生は、浜本教授に破門に近い状態で国立岡山病院に送られ、大学に頼らず自力で、大学より遥かに優れた新生児医療を、岡山大学の人事でない五十嵐郁子先生と二人でやっておられたのである。山内先生は岡山大学小児科にとっては、非常に煙たい異端児のように考えられていたのである。

Ⅱ　研修医時代

1　国立岡山病院

国立病院の小児科で新生児だけでなく、喘息・ネフローゼ・白血病など、すべての病気を経験することができた。スタッフは同級生である駒沢勝君を含め、山内逸郎先生・五十嵐郁子先生・私の4名だった。回診では、山内先生・駒沢先生・私の討論が長く続き、わずか20名程度の患者を診るのに、昼の2時頃から夕方6時を超えることがしばしばあった。今では懐かしく楽しい思い出である。

最初の3年間は小児科研修だけだったが、4年目は小児科医療をやりながら、手術室に入り、外科の西純雄先生の下で外科の基礎を学んだ。そしていよいよ当初からの目的である小児外科の研修をどこで受けるか決める時が来た。当時、東北大学の葛西森夫先生、順天堂大学の駿河敬次郎先生、大阪市立小児保健センターの植田隆先生らが、日本で特に有名な小児外科医であった。そのためこれらの先生の施設を見学させていただき、私に最も合うのは大阪市立小児保健センターの植田先生だと判断し、お世話になることに決めた。1972年（昭和47年）のことである。

2　大阪市立小児保健センター

小児保健センターでは小児外科全般を学ぶことができた。日本で5本の指に入る施設だったので病気も多種多様で症例数も多く、非常に勉強になった。ただ、新生児医療に関しては、国立岡山病院の方がはるかに進んでいた。

トップの植田隆先生（写真）は温情味のある素晴らしい先生であったが、学問においては非常に厳しい人だった。学会においても事柄が間違ったと感じられた場合は、相手が誰であっても決して妥協を許さず、はっきりと〝間違いである〟と指摘された人である。人からきつすぎるといわれても意に介さなかった。また、院内のディスカッションでも絶対に話題を逸らさな

植田隆先生

い人であった。先生とディスカッションをしているとき、追い詰められ、苦し紛れに私の専門だった小児科の方に話を持っていこうとしても、〝それは筋が違う〟と言って、絶対に話を逸らさせてもらえず、とことん核心を攻めてこられた。この学問に厳しい姿勢は今でも私の心に焼き付いている。私は、学会で時々かなり厳しい発言することもあったが、それは植田先生に習ったものである。

当時の大阪市立小児保健センターは人材にも恵まれていた。植田隆先生・脳外科対応の鯨岡寧先生・心臓外科対応の藤野俊夫先生の下、若手医師として永原暹先生・岡利一郎先生・河田先生・青山の4名が働いていた。特に永原先生は私の2年先輩であったが、非常に手術が上手く、大変多くのものを教えていただいた。わずか2年半の研修であったが良き先輩・良き仲間に恵まれ、非常に充実した研修ができた。私の小児外科医としての基礎をつくっていただいた先生方に感謝している。

ただ、良い研修はできたが、生活はかなり厳しかった。勉強させてもらうのだから当然といえば当然だが、無給の生活は結構苦しかった。結婚してまもなくのことだったので、私より妻が大変だったろうと思う。大阪のど真ん中、天満宮のすぐ南、環状線の駅まで歩いて数分の場所で6階建てのアパートの一室を借りて住んだ。最上階だったので、夏は照り返しが強くて暑かった。お金がないからクーラーも買えない。妻は水風呂に入って暑さを凌いでいたらしい。よく耐えてくれたと思う。

世の中は捨てたものではない。私の状況を見て、西宮市で新生児を含む入院設備のある小児病院を開業しておられた関保平先生（写真）が手をさしのべてくださった。具体的には1週間に1回、当直に行くという条件でお世話になった。関先生は小児科の先生で、山内先生とも知り合いで、植田先生とも親しかった。特に植田先生は、関小児病院に1カ月に1、2度手術に行っておられた。それで私もその時は植田先生に同行させていただいた。関先生から月に8万円をいただいた。当時、大阪の家賃が4万円、病院勤務の医師の給料が14～15万円程度だった頃なので、破格の扱いであった。今でも関先生のお宅の方角に足を向けて寝られないと思っている。関先生は本当に凄い先生であった。開業医であんなに勉強する人を私は見たことがなかった。1日に最低3時間は机に向かって本を読んでおられた。自宅には、小児科関係の最新の雑誌・本が並んでおり、国立岡山病院よりも多くあった。

私が行くようになって、関先生の提案でエンドレス・カンファレンスを始めた。神戸大学と大阪大学から来た私とほぼ同年代の若い先生と4人で、1カ月に1回土曜日の夕方から朝までテーマを決めてディスカッションするのである。皆もそのテーマに沿って調べて来て話すのであるが、そのとき、8割は関先生が発言されていた。もの凄い知識と情報量であった。

関保平先生

関先生に関して今でも強烈に覚えていることがある。『青山君論文を読むときは必ず最初にmethodologyを読みなさい。そこでそのmethodologyがダメだと判断したらその論文は読む必要がない、読む価値がない』と。『そして論文を読み進めて結果まで読み、考察は読まない方が良い。考察は自分ですることだから』と。これは結果と考察を主に読んでいた私にとっては衝撃的であり、本当に勉強になった。

関先生には随分可愛がっていただいた。私が当直に行っても私の診療には期待されず、遅くまで私と一緒に病院におられ常に話をしていた記憶がある。私が、もしも少しでも関先生の役に立ったとすれば、それは会話の面だったと思う。私も3年半ほど国立岡山病院の小児科にいたので、関先生は、今の山内逸郎先生の医療がどういうものなのかを吸収したかったのだと思う。会話を通して、そういう小児科としての知識を、もちろん全然レベルは違うが、お互いにやりとりしていたと記憶している。

私見だが、日本の小児医療における一方の雄が山内先生としたら、もう一方の雄は関先生ではないか思うくらい凄い方であった。この素晴らしい山内先生・関先生に師事させていただいたことは本当に幸せだと思う。

大阪時代の2年半は、私にとって小児外科医師としての土台づくりの期間であった。この経験は、私自身の医師人生形成にも深い影響を与えた時期だと思っている。

Ⅲ　小児外科の立ち上げから発展

1　山内逸郎先生

1974年（昭和49年）の夏前、山内先生から岡山に帰って来いという連絡があった。私としては、本当はもう1年くらいは大阪に残りたかった。なぜかというと植田先生の計らいで、その半年くらい前に大阪市の正式な職員になることができた。それで、やっと生活にも余裕が出てきて、仕事に生活に非常に充実して、いろいろなことをやってみたいという時期だったのである。しかし、山内先生の命令なので岡山国立病院に帰ることを決めた。

私は山内逸郎先生のような臨床家を見たことがない。岡山の地で大学から見放され、孤軍奮闘しながら、自分の信念を貫き、新生児医療の分野では日本のトップに上りつめられた先生である。また、当時の国立岡山病院の小児科は、山内先生のもと、駒沢、立石、市場、瀧、山内、佐藤、森先生などほぼすべての領域をカバーできる

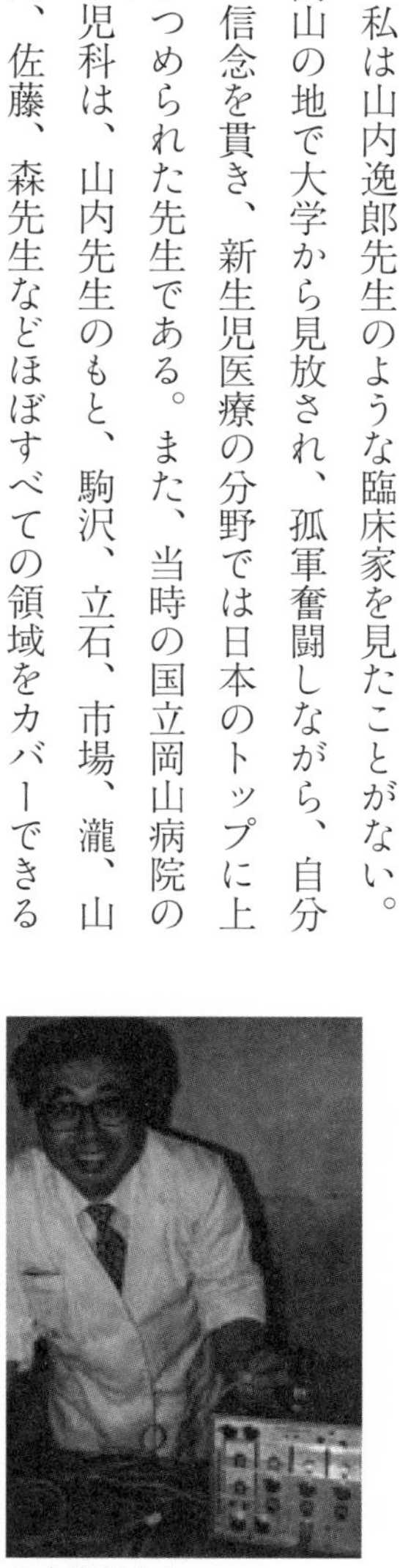

山内逸郎先生

蒼々たるメンバーが顔をそろえていた。それだけでなく、日本全国から多くの小児科医が指導を求めて岡山の地に集まって来ており、未だに日本全国に山内先生を慕う多くの弟子が存在している。また、山内先生は院長を退任されてからも、常に何かに対して情熱を燃やし続けられた先生であった。特に母乳推進にかけられた情熱は並大抵ではなく、子どもの医療に生涯をかけられた。

私にとっては小児医療の基礎を一から教えていただいた先生であった。私が『小児外科』を立ち上げてからも大所・高所から見守っていただき本当にお世話になった先生であった。私が若輩の身でありながら、周囲の圧力に屈することなく小児外科医療を遂行できたのは山内先生の後ろ盾に負うところが大きいと思う。

また、後に詳しく述べるが、1992年（平成4年）、私の執刀で大学附属病院（研究機関）でない一般病院で最初の成功例となった肝臓移植について言えば、院長退任後であったが、国立岡山病院で倫理委員会を立ち上げる基礎をつくっていただいた先生でもある。移植の成功を自分のことのように喜んでいただいたのも先生である。この面を見ても、感謝してもしすぎることのない先生であった。

1993年（平成5年）6月8日の夕刻、国立岡山病院で静かに逝去された。その日の午前中、先生の病床で30分ほど小児科のこと、移植のこと、病院のことなどゆっくりと話をさせていただいた。その時はまさか急なことが起きるとは思えないほど元気であったのに……。心から感謝の意を込めて先生のご冥福をお祈りする。

2　小児外科の創生期

国立岡山病院では、以前から小児の手術を行っていた。外科医長西純雄先生を中心に、新生児のみならず、ヒルシュスプルング病などの大きな手術も含め、年間１５０例程度の手術を行っていた。小児科医が診断をつけて術前の準備をし、手術は外科の先生にお願いし、術後の管理・ケアはすべて小児科の医師が行うという、当時としてはユニークなシステムを採用していた。私が大阪に行く前は小児科に属していたので、術前・術後はすべて私の責任で行っていた。しかし、大阪からの帰岡後は、一般外科をやっていた高田佳輝先生とともに『小児外科』として独立したため、術前・術中・術後はすべて小児外科医師が行うようになった。国立岡山病院小児外科の本格的なスタートである。

最初、私は外科の経験が少なく苦労した。なかでも最も苦労したのは、麻酔の問題だ。麻酔医が、小児外科の手術の麻酔を拒否したのである。その当時の麻酔科の医長は一言居士で、理由は定かでないが山内逸郎先生と敵対関係にあった。西先生が手術していた頃は外科の麻酔ということでよかったのだが、私が大阪から帰って『小児外科』を開くと、お前は山内先生の身内だということで、「どうしても麻酔はかけれない」と言われた。当時は私も若かったので、麻酔科の医長に強いことも言えず、ただただお願いするばかりであった。また、困惑して、院長に、1週間に1回だけでも良い、大きな手術のときだけでも良い、とにかく麻酔をかけてもらえるように配慮してほしいと依頼したが、結局それも徒労に終わってしまった。

それで、仕方なく『小児外科』で麻酔をすることになった。私は大阪にいた時、自科麻酔をしていたので、かなり多くの麻酔経験はあった。そのため、まず私が挿管して麻酔導入を行い、手術中はその麻酔を研修医にまかせ、手術が終わったらまた私が麻酔からの覚醒を行う……。多忙を極めたが、それもやむを得なかった。そこで、仲間の高田君に麻酔のかけ方を教え、二人で麻酔をかけながら手術を行った。その後、しばらくして新生児科の森茂先生が国立小児病院麻酔科で研修後、麻酔を担当してくれるようになった。その後はずっと私たちの麻酔を、森先生がすべてやってくれるようになり、術中管理も安定してきた。後にのべる肝臓移植のときも、子ども（recipient）の麻酔は森先生が責任者としてやってくれたのである。その後麻酔科のメンバーも替わり小児外科手術の増加に伴い、徐々に小児外科・麻酔科の垣根もとれ非常に仲がよくなり、依頼すると麻酔を手伝ってもらえるようになった。

ただ、今でも岡山医療センター小児外科は自科麻酔が基本である。結果的には長期間私たちが自科麻酔をしてきたことはよかったと思う。若い先生にとって、麻酔を勉強するというのは、呼吸管理の面などで非常にいいトレーニングになる。現在でも小児医療センターの小児科医の教育システムのなかに小児外科研修（含麻酔研修）を取り入れている。多くの医者は、呼吸管理の勉強のために麻酔科に勉強に行くケースが多いが、我々はそれを自科で行うことができている。

3　小児外科の発展

麻酔が一つの例であるが、病院のなかで『小児外科』が科として独立・認知してもらうにはかなりの困難があった。まず手術室を使用する手術時間の問題があった。最初はすでに使用している科にお願いして廻り、週1日の定期手術時間の確保をする必要があった。また、専用の診察室がなかったため、救急の空いている時間帯に救急室の一角を使用して外来診療を行った。その他、病室確保・救急手術対応などの解決すべき多くの問題があった。その当時の私は卒業後8、9年目、大阪での2年間の研修を含め、小児外科診療に従事して4、5年頃の若輩であり、病院内では非常に弱い立場であった。本音を言うと少々つらかったが、事を成すにはこれらのことは当然通らざるを得ない道と考えていた。

ちょうどその頃、岡山大学の先輩から大学医局員の雇用の申し出があった。種々を考慮し丁寧に断らせていただいた。依頼主は10歳年上の先輩であり、もし受け入れていたら、恐らく私たちは岡大医局に帰属することになっていたと思う。ずっと後の肝臓移植を行った時の話であるが、私の医者としての立場や事情を知らない人から、先生は肝臓移植をされたわけですが、大学からは何も言ってこなかったのですかと、尋ねられたことがある。私は全く何もありません、大学とは関係なく生きていますから、と答えた。この意味は分かりづらいと思うが、実は私がもし大学の医局に属していたなら、所属の大学医局より早く、国立病院のような一般病院で肝臓移植をするのは不可能なのである。その医局の許可なしには到底できないし、また、許可も出なかったと思う。大きな後ろ盾がなしに『小児外科』を立ち上げ、孤軍奮闘しながらも乗り切ることができたのは、他からの援助を求めなかったからこそだと思う。その結果、肝臓移植のような特異な医療でも自分自身の考えで行うことができたのである。これは私が医師としての生き方として選んだ道である。

私の診療の基本姿勢は患者さん中心の医療であり、365日・24時間患者さんの受け入れを断ったことは一度もなかった。言い換えれば365日・24時間ずっと病院・患者に拘束される状態を続けた。これをやらないと若輩の私が生きて行く道はないと考えていた。私自身はあまり苦にならなかったが、約束をしていたが守れないことが多々あった家族には本当に迷惑をかけたと思う。よく理解して耐えてくれた妻には感謝している。

時間の経過と共に症例数も徐々に増加し、一緒に働く仲間も増え、だんだん『小児外科』も軌道に乗り、ついに小児外科としては、中国四国で患者数がいちばん多い病院になった。丁度この頃であるが、私個人にとっては喜ばしい大事件が起きた。息子の誕生である。私は結婚して8年近く子どもができなかった。もう私は自分の子どもには縁がないと諦め、妻と二人の生活を考えていた。その時妻の妊娠を知った。本当に嬉しかった。私は子どもが大好きなのに、もう諦めていたのに。筆舌に尽くせないものであった。

１９８１年（昭和56年）９月10日午後７時35分、男児誕生である。恥ずかしながらそれ以来、医師として生直後の患者さんを見る目が変わった。生まれてすぐは、父親は赤ちゃんにあまり愛着はないだろうと考えていたが、それは全く違っていた。本当に子どもは愛らしく、少しの異常でも気になった。少し呼吸が速ければ、肺炎は心配ないであろうか、黄疸が少し強ければ胆道閉鎖症は大丈夫であろうかとか、とにかくすべてが気になった。子どもを持った親の気持ちが少し分かるようになった気がした。

もう一つこだわったのが名前付けである。本屋に行き名前の付け方という本を多数購入して研究した。しかし、読めば読むほど混乱し、結論は自分が好む名前をつけるのがいちばん良いという結論に達した。悩んだ末につけたものが『大樹』である。私は単純に『だいちゃん』と呼ぶ名を付けたかった。そのために『大』の字を入れた。そして青山家で誰にも負けない人物になってほしい、という希望と期待を込めて、『Great Tree on the Blue Mountain』という意で『青山大樹』と名付けた。

我が子の誕生もあり、私自身も益々元気が出てきて、診療に熱が入った。更に自分たちの病院がこの地域では最終病院という意識が強くなり、求めて来られれば可能な限りすべて自分の責任で完全に治してあげたい、という気持ちになった。医師として大きく成長した時期だったのだろう。そのことが海外留学という道へとつながり、それがまた人生を大きく変える機会となるのである。

Ⅳ　肝移植へ向けて

1　肝臓移植を学びにピッツバーグ大学へ

肝臓移植もその延長線上のひとつであった。臓器移植をやりたい、ということは大学卒業前から頭の隅にはあった。もっとも当時は全く夢のような話で、実現するなどとは考えていなかった。それが丁度卒業して10年程度経った頃である。一生懸命医療しても現状の医療方法では治し切れない疾患があることに気付かされた。その一つが胆道閉鎖症である。胆道閉鎖症には葛西式手術といって、立派な手術があるが、それでもどうしても治しきれない子どもたちがいる。この子どもたちをどうにかすることはできないであろうか。世界を見回すと、特に米国では肝臓移植が行われている。この移植を治療のひとつとして位置づければ、胆道閉鎖症の子どもをある程度救える可能性があると考えた。肝臓移植でいちばん優れているのはアメリカのピッツバーグ大学スターツル博士であると考え、手紙にてお願いし、１９８４年（昭和59年）に、ピッツバーグに勉強に行くことにした。行ってみてまさに驚いた。そこの移植は凄いの一語に尽きた。実際には夢のように考えていた移植医療が日常診療としてすでに自然に流れていたのである。医療というのは自然に流れるようになったら完成だと思う。私が行ったとき、すでに肝臓移植が年間１００例ほどあり、例えるなら既に日本で行われていた胃摘出術のように安定した手術方式となっていると感じた。

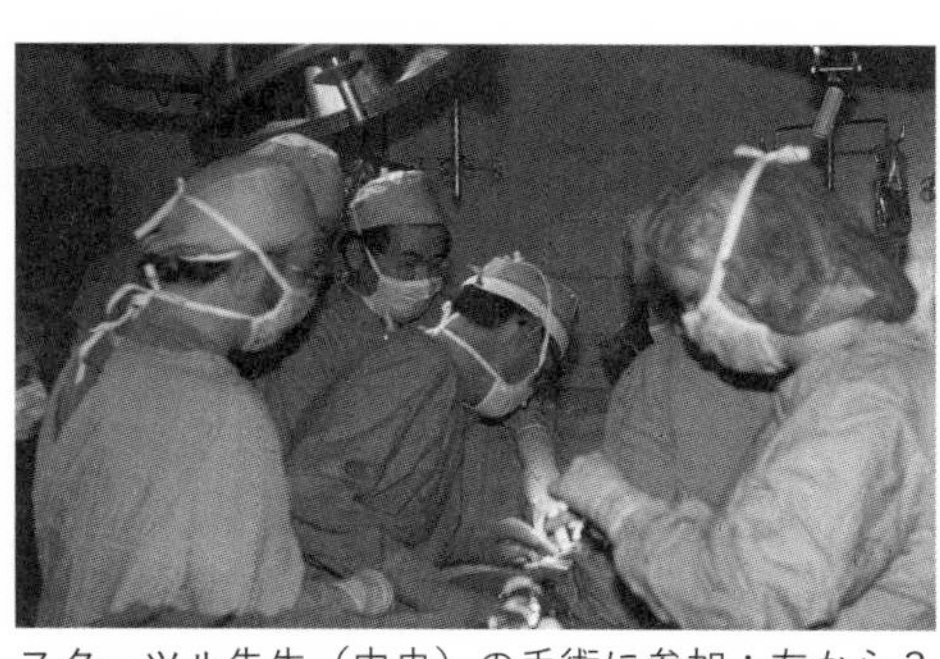

スターツル先生（中央）の手術に参加：左から３人目が私

その頃、ピッツバーグ大学でヒヒの肝臓移植などの研究をしていた藤堂省先生にも出会い大変お世話になった。彼は後に帰国後北海道大学で教鞭を執り、日本の肝臓移植の第一人者になった。また、後に大阪大学第二外科の教授になった門田守人先生が、ちょうど私と同じ3カ月間、偶然ピッツバーグで過ごすことになったのは私にとっては幸運であった。彼と一緒にアパートで暮らした。私は料理ができないため、彼が食事の準備をし、私が後片づけをするという分担で生活した。彼は、もともと肝臓移植の専門家で、私は移植の素人だったので、そのとき、彼から移植について多くのことを学ぶことができ、大変感謝している。その当時のピッツバーグには世界各国から多くの医師が移植の勉強に来ており、狭い部屋でじっと我慢して移植手術に参加できるチャンスを待つという研修者としては厳しい環境であったが、今となっては留学の楽しい思い出である。

2 日本でのブタを使っての移植実験

１９８４年（昭和59年）当時の日本では脳死の問題が解決されてはおらず、肝臓移植自体が非常に難しい状態であった。本来、脳死と臓器移植は別の次元のことなので分けて考えるべき問題である。然るに我が国では、医者の教育、特に医学生の教育に死学が含まれておらず、脳死の理解を得ることが非常に難しかった。

それでもとにかく移植技術の習得は日本の未来の小児医療の発展には必ず必要であると考え、ブタを使って移植実験を始めた。しかし、実験では大きな壁……すなわち、予算と設備の圧倒的不足という事態に出くわすことになった。当時の国立岡山病院には実験設備も実験をするための予算も全くなかった。そのため、廃品からあらゆるものを調達した。車輪が動かなくなった病棟回診用車の車輪を切り取って、その下にブロックを敷いて手術台にした。手術の器具も全くないので、手術室に行って何年も前の古い手術道具から使えるものを探した。使っていない持針器や鉗子などももらってきた。また、残った糸を集めて再消毒して使った。麻酔器具もないので、チューブを入れてバッグを手で押した。当然、通常の診療を行いながらの実験なので、実験日はなんとかして診療を少し早く終わらせ、午後6時頃に実験を始めた。終わるのは大体朝の3時か4時になった。そして、翌日はまた普通の診療を行う日々が続いた。最初は1週間に1回のペースで行った。本当によく若い仲間が協力してくれたと思う。現実には一生懸命に努力をしていたら、いろいろな人が助けてくれた。非常に好意的な看護師さんが２人いて、実験の日は仕事を休んで、皆に夜食のおむすびを作って来てくれた。また、別の看護師さんは夜遅くまで、一緒に手術器械出しなどを手伝ってくれた。今でも本当に感謝している。また、ある医療機器屋さんは、自分のところで使わなくなった電気メスを持ってきて貸してくれた。手術室の看護師さんも、手術室で使わなくなった器具や期限切れの糸などを提供してくれた。薬局も使用不要な薬を回してくれた。そうして、病院で働いている多くの人々が徐々に協力を惜しまなくなった。『求めよ、さらば与えられん』とは聖書にもあるが、一生懸命やっていれば、どこかで誰かがそれを見ていてくれて、皆で手助けしてくれるものだと、本当にうれしく感じた。

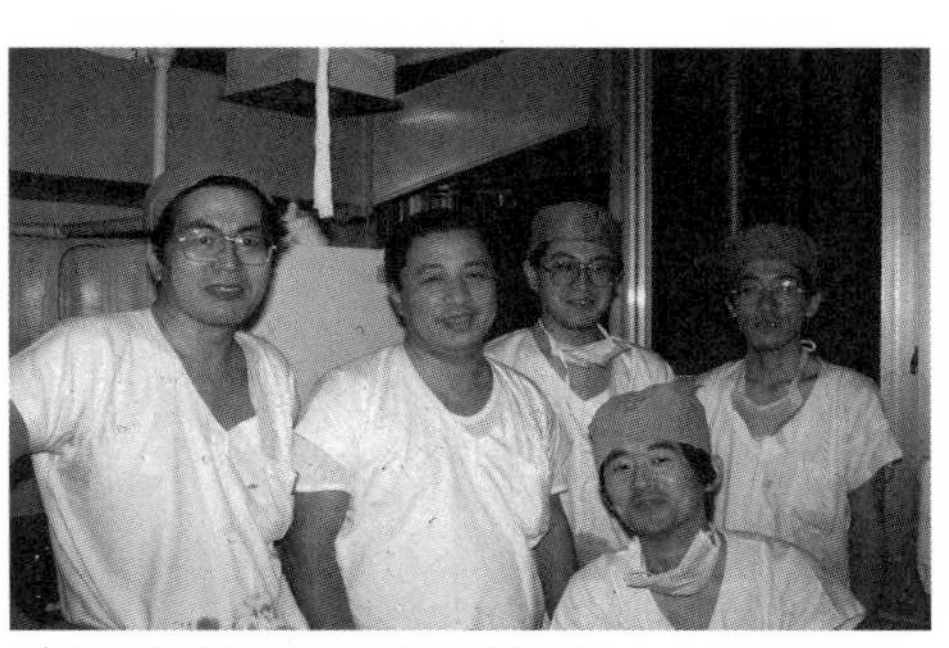
ブタの実験終了時早朝３時仲間と。左端が私

また私個人としても、お金の問題にはかなり苦労した。当初の諸費用はすべて私の持ち出しであった。当時子ブタ1匹が2万７０００円であり、ドナー・レシピエント・輸血用に1回の

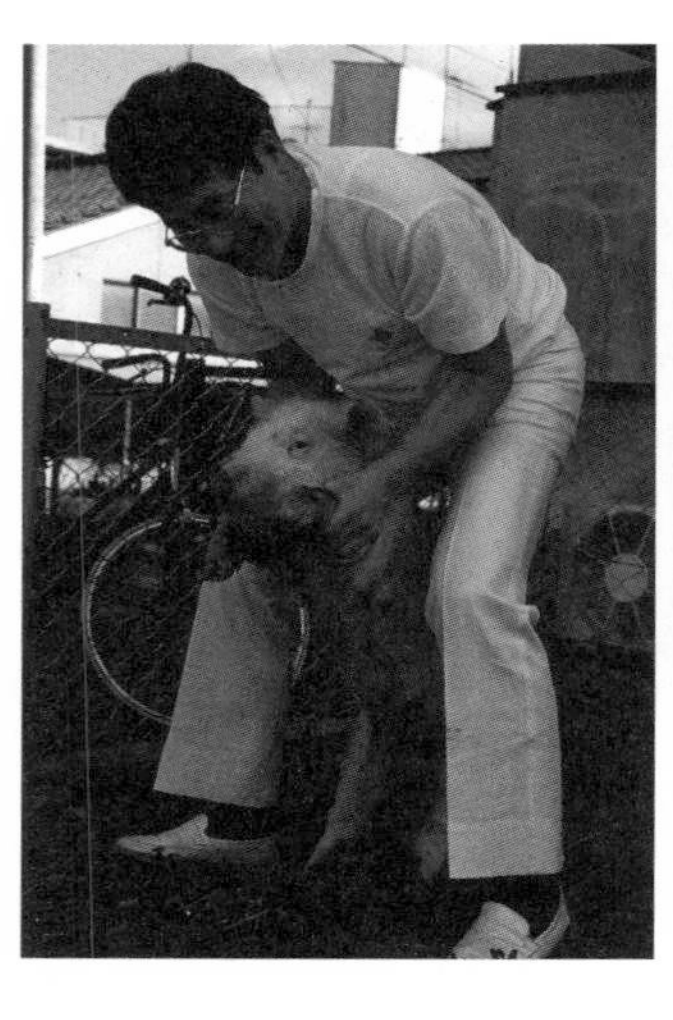

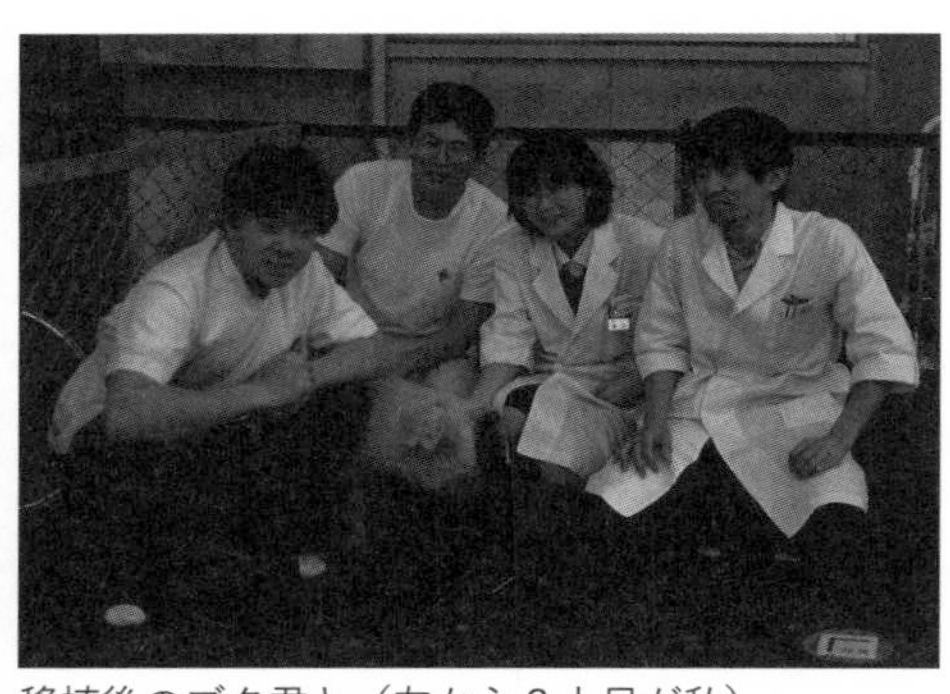

移植後のブタ君と（左から２人目が私）

実験で３匹必要であった。お金の節約のため、最初は輸血用のブタなしで行ったが、成績が悪く、どうしても３匹必要であった。節約のため、屠殺場で血を分けてもらうことを思いつき、冬の寒い時期に、仲間３名で朝早くに屠殺場へ行き採血を試みたが、採取方法が難しく凝固してしまい、有効には使用できなかった。結局３匹購入せざるを得なかった。これも今となれば懐かしい思い出である。そうして1年くらい経ったころ、幸い厚生省から研究班の募集があり、応募して認められ、いくらかの研究費がついた。更に2、3年経った頃、幸いにして山内先生が院長になられた時期と重なったため、病院が研究費としての経費をつけてくれるようになり実験器具の購入および実験用のブタも購入できるようになった。実験も順調にいくようになり、手術に慣れてくると2匹のブタで手術可能となり、経費も節減できるようになった。

またさらなる問題として、移植が成功したブタを飼う場所を探す必要があった。さすがに病院のなかではブタは飼えない。しかし、実験の成果を見るためには、長期的にブタを生かす必要がある。思考の果てに近くの動物園に依頼することにした。幸い動物園の園長さんの理解があり、手術後8カ月飼育していただくことができた。実験は最初の頃は1週間に1回くらい行っていたが、慣れてきたら1カ月に1回程度になった。皆、一生懸命に頑張ってくれたお陰で、肝臓移植をする2年くらい前、1990年（平成2年）までにすべての手術の手技は完成し、技術的な準備は完了した。ありがたいことであった。移植をやっている人なら分かることだが、ブタで1週間生きれば、人間ならまず大丈夫である。肝臓移植に関しては、ブタのほうが人間よりもはるかに難しい。それ以後は移植の手順を忘れないために、2、3カ月に1回程度実験をやりながら移植の実施にそなえた。ブタ供養も何度か行ったが、実験に身を呈してくれたブタたちには心から感謝している。

3　グループで移植を目指す

ブタの移植実験は小児外科グループ全員で行った。当時の同僚である後藤隆文君・秋山卓士君・岩村喜信君・北海道から研修に来ていた阿部毅君、熊本から来ていた樋口章弘君・広島の川崎正裕君、研修医の溝口由美子君などである。麻酔はすべて森茂君が担当してくれた。日常の診療が終わったあとでの実験であり仲間にとって体力的にも大変だった。経費のすべてを研究費で賄えるわけではなかったので、せめて他のスタッフには金銭的な負担がかからないように配慮した。その当時すでに国立岡山病院の小児外科は、移植をしなくても中四国でいちばん症例数の多い病院であった。そのため、日常診療をしっかりしておれば病院の収益としては事足りており、しんどい思いをして移植をやらなくても、皆食べていけるのである。そんな中で移植のための実験を続けることは、よほどのエネルギーがないとできないと思う。それが実行できたのは、若い先生たちも皆一丸となって大きな目標に向かって行動するというエネルギーに溢れていたからだと思う。同時に、国立岡山病院小児外科が地域の小児外科医療の中心的な役割を担っているという自負があったことも一因と思う。更に全員が幼い患者の命を救いたい一心で、先端医療にも取り組んでいかなければならないという気概があったからだと思う。先端医療を臨床に取り入れていくとなれば、苦しくてもそれ相応の準備をしなければない。難治例に対する治療の可能性の追求は、私たちにとって当然のことであり、私自身は、それは医師としての使命や責任からくる宿命みたいなものだと考えている。

それ以外に組織としての肝臓移植のための準備として、私のピッツバーグから帰国2年後の1986年（昭和61年）、第二小児外科医長の後藤隆文先生は腎臓移植の勉強のために1年間アメリカ留学することとした。腎臓移植を国立岡山病院で最初に行ったのは彼である。また、秋山卓士先生は肝臓移植の実際を経験するために移植実施2年前の1990年（平成2年）に1年間ブリスベンに留学することとした。当時の私は国立岡山病院の小児外科の中で『臓器移植』

はひとつの分野として考えていた。

後藤先生が腎臓移植、秋山先生が肝臓移植、あとできれば岩村先生に小腸移植を、と思っていた。もちろん移植によってすべてが解決する、未来はバラ色だとは思っていなかったが、少なくとも、移植がこれまで治すことのできなかった病気に対して、一定の効果があることは確信していた。

Ⅴ　肝臓移植の成功

１　大学病院以外の病院で初の肝臓移植

１９８９年（平成元年）11月に、島根医大（現・島根大学医学部）の永末直文先生が世界で４例目となる生体肝移植を１歳の子どもに行って以来、日本では京都大学・信州大学・名古屋市立大学など数カ所で57例の肝移植が行われていた。

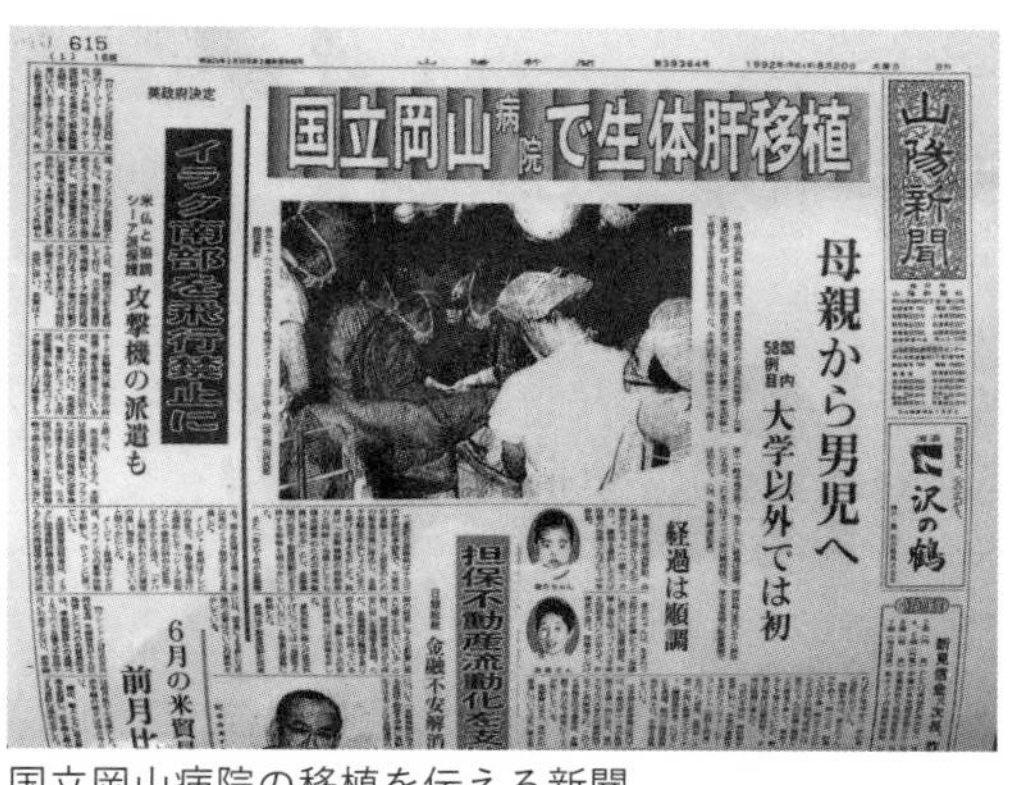

国立岡山病院の移植を伝える新聞

そうしたなか、1992年（平成4年）8月に国立岡山病院で1歳の男児・俊介君の母親をドナーとしての生体肝移植を行った。大学病院（研究機関）以外の病院で行われたのは初めてであった。

俊介君は、それまでに4回手術を受けていた。3回目の手術（生後7月）までは、術後一時的ではあるが胆汁流出があった。しかし4回目の手術（生後10月）以後はほとんど胆汁流出が認められなかった。本院で、それまでの胆道閉鎖で亡くなった多くの子どもの経験から肝臓機能や栄養状態などのデータを検討し、ある値になるともう6カ月以上は生存できないという限界を決めていた。俊介君の場合は5月の段階でその数値までいっており、通常の経過を辿れば11月には命が危ない状態であった。

5月の初め頃に、両親が移植の実情を教えてほしいといって来られた。俊介君が生まれたのが1990年（平成2年）9月だが、その前年に島根医大で移植手術を受けた裕弥君も同じ胆道閉鎖症であった。そのため両親は当時から、裕弥君の経過に注目しており、俊介君も同じような経過をたどっているのがよく分かっていたようである。ひょっとすると、最後は移植しかないのではないかという気持ちを持っておられた。それで相談に来られたのである。

両親に国立岡山病院の移植準備状況や費用のことなどすべて話した。もちろん京都大学に行けば健康保険が適用されることも話した。俊介君は生まれた直後から本院に入院しており、身体状況はすべて把握できていた。お母さんも私たちの顔を見れば、後介君の容体が分かる程、充分にコミュニケーションがとれていた。そのような中で両親は種々考えられた結果、ぜひ国立岡山病院で俊介君の移植をやってほしいと希望された。５月中頃である。

それを受け、本院での移植の実現に向けての態勢を再度見直した。院長、副院長、事務長などには移植の可能性を含めて俊介君の概略はすでに話してある。実施医療態勢として、小児外科では何度も手術実験を重ねており、技術的には問題ない。スタッフも皆協力的である。子どもの麻酔も森先生がいるので問題ない。移植のドナーのためには外科と麻酔科の協力が必要であるが、以前から協力の同意を得ていた肝胆膵外科の平井隆二医長も快く引き受けてくれた。麻酔科の方は少しニュアンスが違って、病院がそういう態勢になればという条件つきだったが、協力が得られることになった。これにより、病院の医療態勢としては移植可能であると判断した。これらの状況を６月初めに院長に話した。院長は、「事務部と看護部、そして副院長にもよく相談をするように」と言われた。副院長は、「京都大学などの大学病院ですでに移植をやっているのでそこに任せば良いではないか、何故一地方の国立病院でやらねばならないのか、もし失敗すると病院の損失は絶大なものである」と否定的であった。ただ賛成ではないとしても、倫理委員会の委員長だったので、倫理委員会に提出されれば審議せざるを得ないという答えであった。

６月の半ばに、副院長に倫理委員会に出すための資料を持参したところ、「少し待て、とりあえず中国医務局に聞いてくる」と言われた。副院長は自分で判断するには問題が大きすぎたのか、白紙のままで上にお伺いを立てようと考えられたようである。また、看護部長はずっと同じ姿勢で、「病院がオーケー」と言えばやります、というものであった。「今の態勢ではできません」と病院に対して無言のプレッシャーをかけていたように感じた。

しかし、時の経過とともに子どもの状態は徐々に悪化し、黄疸も強くなってきた。そこで6月の下旬に医療サイドが主体性をもって進んでいくしかないと考え、外科・麻酔科のみならず、関連する検査科・放射線科などの医師に集まってもらい移植遂行について再度お願いした。そこでは、議論の末、最終的には病院がゴーを出せば、全面協力するという合意が得られた。

私は、8月の初めまでに手術を行わなければ子どもが危ないと思っていた。延びても8月いっぱいには手術をしなければダメだと考えていた。そこで、7月の初めに、副院長のところに、もう倫理委員会に出していただかなければ間に合わないと伝えに行った。ところが、驚いたことに副院長は、「今からでは、8月は到底無理である」と言われたのである。これにはビックリした。私が副院長の指示があれば倫理委員会の資料は何時でも出すように準備していますと言って待っていたにもかかわらず、事が全く進んでいなかったのである。今までの経緯を復唱し副院長を問い詰めたが要領を得なかった。

2　倫理委員会での審理

私は副院長に面談した翌日、正式な書類を倫理委員会宛に提出した。それと並行して、院長、副院長、事務部長、看護部長をはじめとする病院幹部、関係各科の先生方、あるいは薬剤師、検査室の人たち、また実際に関係する病棟の看護師、手術室の看護師に話をして回った。病院の幹部を除く当事者たちは、原則的には皆賛同してくれた。

彼らはありがたいことに、我々が8年も前から夜遅くまで時間をかけてブタの実験をしていたことを充分に理解してくれていた。さらに後藤先生が腎臓移植の勉強に米国に留学し、秋山先生が肝臓移植の勉強にオーストラリアに留学して、小児外科として移植の準備を着々としていたことも理解してくれていた。

7月20日、まだ倫理委員会の結論が出ていないとき時であるが、院長が、ちょうど外来をしていた私のところに来て、「青山君、もうこれは駄目だ。九分九厘できんぞ」と言われた。私が「何故ですか」と尋ねたところ、院長は、「いちばんの問題は看護態勢だ」と言われた。それを受け、すぐ看護部長のところへ話しに行ったが、看護師側の姿勢というのは終始変わらなかった。病院がやれと言えばやるけれども、いまの看護師の状況のままではできない、と言われた。2人態勢で夜勤をしているが、3人態勢にしなければできない、人手が足りないということの繰り返しであった。私自身は、この移植医療はかなり手のかかる医療だと考えていたので、看護師の負担を軽くする意味からも、その期間は、緊急手術以外の予定手術はできるだけ少なくする、手術後、当分の間は、数名の医師が泊まり込んで対応するなど我々のできることは全部する旨を粘り強く伝えた。関連する病棟の看護師は最悪の場合はこの態勢でやっていこうということを約束してくれていた。もうひとつはお金の問題であった。もちろん家族としても、自分たちで相当額のお金を準備されていた。しかし、最終的にいくら費用がかかるのか分からない。それに対して副院長は「充分なお金の保障をせよ」と言われたのである。この件はありがたいことにマスコミの協力により寄付金が集まり、良い方向に進んだ。

私は第1回の倫理委員会のみに両親と祖母とともに立会人として出席した。その席で患者の状況、移植の必要性および患者家族の受け入れ状況（インフォームド・コンセント）、病院での準備状況などについて話をさせていただいた。その後の委員会で委員から両親への種々の質問があったそうである。その中では、倫理委員から母親に対して、何故京都大学に行かないで、ここでやるのかと非常に厳しい質問があったそうである。母親としては、家族皆で何度も話し合ってこの病院で手術を受けると決めているのに、この病院でやるなと言われているようで非常に辛かったそうである。私は母親には辛い思いをさせて申し訳ないと思ったが、これは倫理委員会が終始、冷静に審理していただいた状況だと判断・理解した。倫理委員会はクローズなので、詳細は分からないが、倫理委員会のなかのムードは非常に移植に好意的で、一生懸命、患者の命、母親の体のことを考えて議論がなされたということであった。特に、病院外部の委員の方が、「命の危ない時期が迫っている。臓器提供者も決まっている。手術を含めた周りの状況も整っている。その状況で移植を延ばすということは、子どもの生命を危険にさらす。いってみれば見殺しにすることになる。早急に結論を出すべきである」としきりに強調されたそうである。最終的には7月31日の第3回の倫理委員会で移植は妥当という判断をいただいた。忙しい中、7月中に3回の倫理委員会を開いていただいた。特に外部の倫理委員の先生方には大変なご足労・ご心労をいただいたことを心から感謝している。

この件を通じて、私が本当に情けないと思ったのは、その倫理委員会が開かれた日時も経緯も結論も、院長からも副院長からも私に一切知らせていただけなかったことである。私は一日千秋の思いで結論を待っていた。患者の家族は本当に不安に思っており、本院で移植ができなければ、この子には「死」しかない。しかも近いうちにと考えておられた。そのような状況で、何故、私に早急に結果報告がなかったのか残念でならなかった。

そのときまでも副院長とは何度も「移植ができる、できない」で議論をしていた。しかし、この期に及んで、これほどまで私が無視されるとは思ってもいなかった。また、患者の家族と私の関係というものが全く配慮されず、病院の都合で事が運ばれたのである。私も私なりに、倫理委員会の立場を理解していたし、倫理委員会の決定がそのまま移植にゴーできるわけではないことも分かっていた。しかしそのときに、倫理委員会の結論はこうだった、あとは院長先生が判断することだと言ってもらえれば、家族にもなんらかの説明ができたはずである。どうも中国医務局への意向打診が優先されていたようである。
私自身は厚生省に同級生の友人がいたため、厚生省は病院がＯＫでお金の問題が解決すれば移植の実施は問題ない、という情報を得ていた。その後、病院から中国医務局経由で厚生省に伺いを立てて、最終的に結論が出たのが８月10日である。移植実施の10日前のことである。それまでは倫理委員会の結果を含め何も知らせてもらえなかったのである。院長が記者会見をして、初めて生体肝移植を行いますと発表した。それまで看護部は動かなかった。看護現場も表だって動くことを止められていた。結果的には８月10日から移植を行った19日までの10日間に、集中的に移植準備を行うことになった。

しかしありがたいことに、本院で肝臓移植の話が出たときから、上からは止められていたけれど、看護師たちは非常に燃えていた。どれだけ燃えて一生懸命に手伝ってくれたかは想像もつかないほどである。移植が決定したのが移植10日前のことにもかかわらず、それから手術までのわずかな時間に、手術室看護師はすべての手術手順を作り、病棟看護師は病棟看護手順を作成してくれた。これは通常では考えられない迅速な対応であるが、おそらく彼女たちには移植は今後の必要な医療だという認識があり、少しずつ秘密裏に準備してくれていたのだと思う。また、移植実施が決まってからは病院の動きも速かった。小児病棟の一室が前室のついた移植用室に作り替えられ、看護態勢も充実されたのである。その意味で私は良いスタッフに恵まれたと思うと同時に、国立岡山病院の底力を感じることができた。また、本当に素晴らしい仲間、素晴らしい病院に感謝し、嬉しく思った。

3　手術・術後の経過

実は、俊介君の手術・術後は少々困難であった。過去に4回の手術を受けており癒着がひどく、その剥離にはかなりの労力を要した。しかも慣れてないこともあり手術時間は12時間に及んだ。幸いにして術後の経過は順調で、それまで機能していなかった肝臓機能が劇的に回復し、真っ白だった便が黄色になり、ビリルビンの値も1ミリ台に下がった。それは本当にドラマチックであった。術後3日までは経過も順調であり、移植というのはこんなにうまくいくものかと思っていた。しかし、現実はそんなに甘くなかった。術後4日目の8月23日に腸管穿孔が起こった。その時は本当にショックであった。母親もあのときがいちばん辛かったと言っておられたが、私たちにとっても最大の危機的状態であった。一般的に腸管の穿孔を治す手術自体はそんなに難しいものとは思わない。ただ、移植直後なので大変心配した。開腹すると、ドレーンの壁の

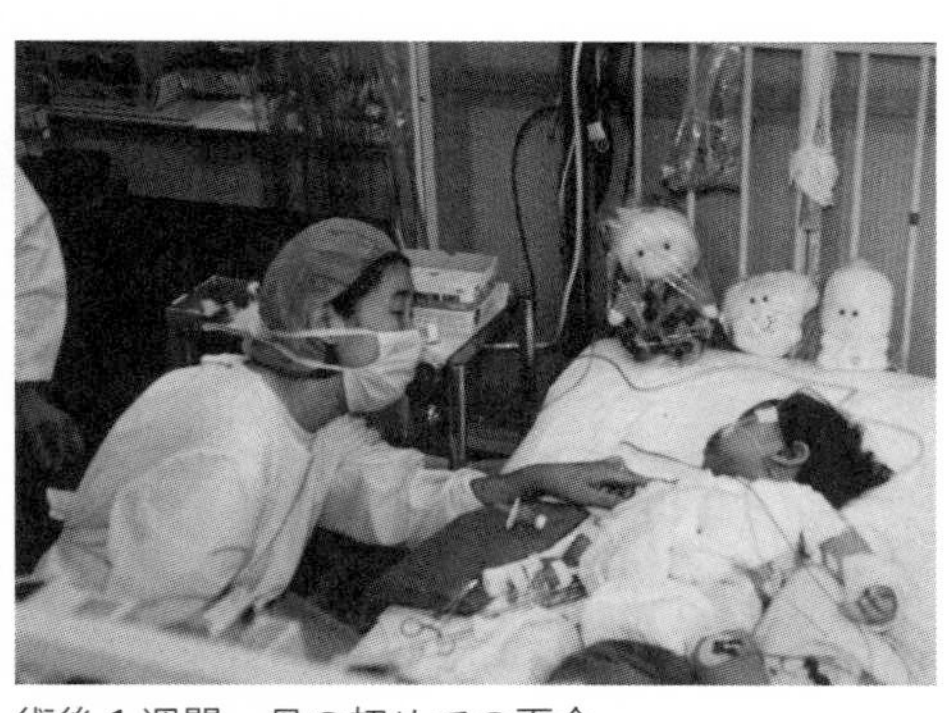
術後１週間。母の初めての面会

一部が腸管を圧迫しておりそれが穿孔の原因となっていた。腹腔内は便汁で満ちていた。腹腔洗浄後腸管修復術を行った。一応手術は無事に終わったが、術後は大変であった。無気肺を併発し、胸水も出現し、子どもの状態は悪化した。しかし、術後早期から免疫抑制剤を使用せざるを得ず、術後5日目、腹部局所感染が増悪し、腹壁の離開が起こった。術前からの低栄養も加わり、更に創の離開が進み肝臓が剥き出しになった。状態が悪かったため、病室でドレーン再挿入と腹壁閉鎖を行った。その後も腹壁の一部の再離開が起こり、肝臓の一部が脱出したままの状態が長期間続いた。高熱も1カ月以上持続した。術後1カ月半くらい経って、腹壁も閉鎖し、ある程度感染が収まった時、拒絶反応が起こった。感染のため、免疫抑制剤を少なめに控えていたことが影響した可能性があった。ステロイド剤のパルス療法を行い、免疫抑制剤も変更した。拒絶反応は、組織的に見て初期であり、対応可能であった。幸いにして術後3カ月に元気に退院することができた。

4　多くの仲間の協力で

振り返ると、術前の準備は概略10年前、私のピッツバーグへの留学から始まった。その帰国後早々にブタによる移植実験を始めたが、これには後藤・秋山・河崎・岩村・安部・樋口君の小児外科の仲間に加え、麻酔を担当してくれた森君の協力のお蔭である。またそれに賛同してくれた看護師・薬剤師・事務職員・他科の先生の協力も必要不可欠であった。最終的に病院がゴーを出した後の病院の協力態勢は目を見張るものがあった。前室を含んだ病棟改変・看護態勢の変更などである。これらの協力がなければ実行は不可能であった。また、手術に際しては私の友人である、名古屋市立大学の橋本俊先生・信州大学の松波英寿先生・東京大学の河原崎英雄先生が応援に駆けつけてくれた。術後の管理において、特に感染管理では私の古くからの友人である尾内一信君（後の川崎医科大学小児科教授）に世話になった。また、拒絶反応の診断のための組織を見てくれたのは、九州大学の先生であった。これら一貫して最大の協力者はその後も小児の肝臓疾患の治療に情熱をかけた私の仲間、秋山卓士君である。また、マスコミに身を置きながら、いろいろ相談に乗ってくれたＲＳＫ山陽放送の石野常久君にも心から感謝をしている。これらの人々との良好な人間関係の構築と協力態勢により研究機関以外の一般病院で日本で初めて肝臓移植が成し遂げられたのである。特に外からの圧力にも怯むことなく私たちに命を託していただいた俊介君のご両親には本当に感謝の意を呈したいと思っている。

注：その当時は日本で島根医科大学・京都大学・信州大学・名古屋市立大学などで57例の肝臓移植が行われていた状況であった。しかしこれらはすべて研究機関である大学病院でのことであり、我々のような一般病院で行われたことはなかった。そのため、この手術が成功するかどうかが、今後日本で移植医療が定着するかどうかの試金石であり、術前・術中・術後を通して、日本国中で話題となった。病院内に移植の報道のために記者クラブができ、私は術後１カ月間はほぼ毎日記者会見を行わざるを得ない状況であった。

Ⅵ　小児外科のさらなる発展を目指して

私が国立病院に就職したとき、小児科は山内逸郎先生、五十嵐郁子先生の二人で私を加えて３人態勢であった。その後山内先生の名声を慕って日本全国から多くの医師が集まり、20年経った頃には小児科のスタッフが９人になった。また、小児外科も患者数の増加に伴いスタッフが４人となり、合計で国立岡山病院小児医療センターとしては13名の大所帯になった。そのような状況で１９９２年（平成４年）８月最初の肝臓移植を行った。その後も1年に1例程度の肝臓移植を続けた。

小児外科手術総数も更に増加し、５年後の１９９７年（平成９年）には年間総手術数が６５０例を超え、『小児外科』を標榜した１９７４年（昭和49年）年に１５０例であった手術数の４倍以上になった。またスタッフ４名に加え、研修医２名の６名態勢（青山・後藤・秋山・岩村・久守・吉岡）で小児外科医療を行うことができ、中国四国地方では、もっとも症例数の多い小児外科医療の中心的施設と自負できる状況になった。

そのような状況の時、川崎医科大学への転勤の話が来たのである。小児外科を講座として新たにつくりたいから来てほしいというものであった。当初は、本院に残るべきか、大学へ行くべきか真剣に悩んだ。患者さんのこと、仲間のこと、病院のことなどである。患者さんの件は何時でも連絡がとれる場所であるし、良い後輩がいるので後を任せても心配ないと判断した。もう一つはずっと一緒にやってきてくれた仲間の問題である。後藤・秋山両君は医療技術・経験共に独り立ちできる状態である。何時までも私が上にいて彼らの道を塞ぐのも望ましいことではない、と考えた。これらを含め小児外科チームのさらなる発展を考えると小児外科診療の幅を広げることにも意味があると考えた。また私自身の問題として、長年私が行ってきた小児外科医療が若い学生に受け入れてもらえるかどうかを試す楽しみがあった。心の隅には、大学という研究機関なら肝臓移植の王道である脳死肝臓移植もできるのではないかとも考えた。これらを考え、1年程度迷った末に、理解ある仲間の推奨もあり、川崎医科大学初代小児外科教授として赴任することになった。

第3章

「未来」を育てる——川崎医科大学教授時代

Ⅰ　独自の講義・教育方式の導入

１９９７年（平成９年）６月、私は28年間勤務した国立岡山病院小児外科を退職し、倉敷市にある川崎医科大学の小児外科講座開設に伴い初代教授として赴任することになった。赴任当時は小児外科の講座がなく、小児外科疾患の講義は他の科に委ねられていたので、小児科・外科・泌尿器科などに講義時間の譲渡をお願いすることから始めた。最終的には３学年４学年で11単位、国家試験対策を含め５学年６学年で７単位合計90分授業を18単位、１６２０時間の小児外科講義をすることになった。

講義は私の考えを浸透するためすべて私自身で講義することに決めた。学生講義は真剣勝負であると考え、教えることに情熱をかけた。その手法はこの項目の最後に15ヵ条として載せている。

赴任当初は講義に遅れて入って来る学生が目立った。川崎医大は出欠の有無は厳しくチェックされていた。そのため出席はするが遅れて入室する学生が多かった。遅刻をしないようにといくら言っても簡単には受け入れられなかった。これをどのように対処するかに悩んだ末、一計を図った。学生が講義の途中に入室してきた時はその学生がドアを開けた時から着席するまでは講義を中止することにした。入り口が１カ所だったこともあり、入室から着席までは少々時間がかかるので、その間講義を中止すると皆に迷惑がかかり、皆から非難の視線を浴びることになる。結果的にこの方法が効き、遅刻する学生が全くいなくなった。

講義以外に力を入れたことはいわゆるポリクリと称するものである。我々小児外科にも６～８名程度の学生がグループで１週間の実習に来た。この実習にも情熱を傾けた。具体的には１週間のうち１日は医局員総出で学生と真剣に向き合った（写真）。学生一人一人に疾患を振り分けそのプレゼンテーションを求め、その疾患に対し医局員が実際の症例を呈示して討議する形式を取った。それには毎回夕方６時から11時頃までの長時間を要した。このポリクリは講義の内容よりも、学生と医局員が４～５時間真剣に向き合う時間を共有する意味の方が大きかった。私個人はそれ以外に毎週土曜日の午後２時から２時間程度５・６学年の学生数人と生理学の本の読み会を行った。このように学生教育に真剣に取り組み、教師生活を楽しんでいた。

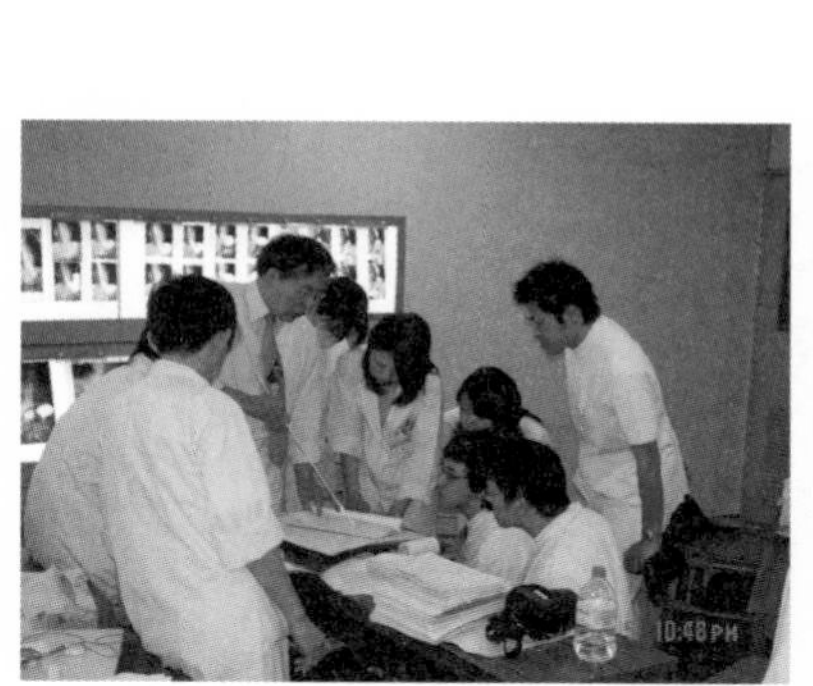

ポリクリ風景　午後11時頃継続中

ポリクリ風景　開始午後6時頃

Ⅱ　学年主任になり、国家試験対策を任されて

就任して3年が経った時、学長から5学年の学年主任（受け持ち）になるように指示された。川崎医科大学のシステムは各教授が10名程度の小グループを受け持ち、それらを統率する学年主任を置き、この学年主任がその学年の最終責任を持つというシステムである。私の場合は5年生を受け持ち、その学年が6年に上がり卒業するまでの最終責任を負うというものであった。私は学生教育には興味があったので、比較的気軽に引き受けた。

しかしその考えは非常に甘かったのである。全国の医科大学はどこでもそうであるが、特に私立医科大学はその国家試験の合格率は運営上非常に重要な意味を持つ。それがその時の川崎医大の国家試験が徐々に悪化してきており、私の受け持ちの前々年（１９９９年（平成11年））の新卒業生の合格率が79・６％であり、さらに前年度（２０００年（平成12年））の合格率が川崎学園始まって以来最低の57％であったのである。そのため私の学年主任としての使命はとにかく国家試験の合格率を上げることである、となった。どうにかしなければならない。とにかくやる気を起こさなければどうしようもない。これには私自身の浪人生活の経験が生きた？とにかく本人の意識改革である。学生の現状を考えると、３分の１は放置で全く問題ない、さ

らに3分の1は少し指導すれば問題ない。しかし残りの3分の1の成績が向上しなければ合格率を上げられないと考えた。これは相当の力を集中せねばならないと考えた。そこで何をすべきか、何ができるかを考えた。以下の6つのことが思い浮かんだ。

1　学生の意識改革のためにクラスのムードを変える

絶対条件である。学生自身が医師になりたいという気持ちを本気で持たなければならない。医療の面白みを自分で感じて医師になりたい気持ちが強くなれば、それが最も良い。しかし自分の経験から考えても、学生時代に医師は面白い仕事だから医師になりたい、と真剣に思う人は少ないかと思う。だが、親から仕送りを受けているのでもう卒業しなくてはならないとか、国家試験に不合格となると恥ずかしいとか、どんな理由でも良い、とにかく医師になるためには国家試験に合格することが必要なので、絶対に合格したいという気持ちを持たせることが重要であると考えた。これらは少なくとも、周りから言われるのではなく、自らが本気で思わなければならない。そのためには私は何をすれば良いか？　おそらく学生独りでは難しいと考え、クラスの皆でその方向を目指すように指導することを考えた。これは押しつけでは無理なのである。そのためクラスにリーダーをつくって、そのリーダーが皆を同じ方向に向けるように誘導することにした。幸いにして数人の優秀なリーダーが現れ、見事に全員を引っ張って行ける方向性が確立した。

2　学生との全員面談　試験対策　生活指導

学年主任になり、国家試験対策を命じられてすぐに行ったことは、教務にいって受け持ち学生の1学年から5学年までの学業成績表を手に入れ、それらの成績を表にした。全部私個人の仕事だったので、100名の過去5年間の成績の経過表をつくることは並大抵ではなかったが、これは非常に役立った（写真）。それにより、前述した概略3つのグループ分けが可能になった。この成績表を手元に100名全員の面談を行った。この面談は春と秋に2回で、週日の夕方6時頃から9時頃までほぼ毎日概略1名30分程度の時間を掛けて行った。具体的には心配ない学生は10分程度の雑談で終わることもあったが、力の要る学生には1時間以上もかけ、生活の時間割まで指導することもあった。幸いにしてすべての学生が真剣に私の話を聞いてくれたので、川崎医科大学の学生の『質の良さ』を感じることができて嬉しかった。

受け持ち学生の成績表綴り

3 教師の意識改革

もし、自分の属する医科大学で国家試験の合格率が極端に悪かった場合、改善方法として、成績を上げるために試験を難しくすることが考えられる。また、年に数回ある卒業までの試験(川崎医大では6学年の1年間で3回あった)に同じ問題を出すわけにはいかない。また、昨年の学生と同じ問題を出すわけにもいかない。結果的にだんだん問題が誤った方向、難しい方向に行くことがある。私が判断すると、試験問題が国家試験問題とは大きく異なった方向に向いている科が存在するように見えた。そこで、各科の先生には繰り返しの問題になってもよいので国家試験に対応するための問題を作成していただくことをお願いし、試験が終わった後その試験問題の解説と正解を講義してもらうこととした。それらの講義の司会はすべて私が引き受けることとした。教授会では相当の反対があったが、国家試験成績を上げるためにの大義で押し切らせていただいた。

4 国家試験対策のプロを入れる

種々手を尽くしても、簡単に成績が上がるわけではない。この救急事態を乗り越えるには試験のプロの招聘もやぶさかではない、と考えた。当時数社の国家試験対策予備校的なものが存在した。その予備校に出向き、講義使用のビデオを拝見させていただき、優れた1社を選んだ。そこの経営者兼講師に直接面談し、その先生の人間性の素晴らしさに惹かれ、頼み込んだ。数百本のビデオ購入と講師の1カ月1回程度の直接指導には相当の経費を必要とした。学長にはあまり歓迎してもらえなかったが、理事長の所に恐る恐るお願いに行くと、理事長からは「学生教育は青天井、良いと思うことをやりなさい」と力強い一言をいただいた。これらのビデオ管理はすべて学生に任せた。リーダーを中心にチームワークで非常にスムーズに運営できたことは素晴らしいことである。

5　診療後のブースを巡る

川崎医大には、6学年には概略10名単位で集まるブースが準備されていた。そこで学生たちはグループを組んで、夜遅くまで国家試験対策をする者も少なくなかった。私は診療が終わって（夕方8時から9時頃）自宅へ帰る前、ほぼ毎日1時間程度かけて数カ所のブースを廻ってから帰るのを日課としていた。雑談をしながらのブース巡りも、今となっては楽しい思い出である。

６　学生とのコミュニケーション

いちばん大切にしたことは、学生と良好なコミュニケーションを持つことである。１００名面談、ブース巡りのみならず、あらゆる手段で学生との会話を持った。あるひとりの女学生が行方不明になったとその友人の学生から連絡があった時、数名の学生と一緒に夜遅くまで行く先を捜索したこともある。幸いにして、卒業する頃には受け持ちのすべての学生の顔と名前が一致するようになった。非常にありがたいことである。一般的に教師は学生に多くを求めてはならない。一生懸命に学生を教育しても、将来感謝されるのは当然などと考えてはならない。なぜなら教育することは教師としては当たり前のことであり、そのために報酬をもらっているのである。卒業後教えた学生にどこかで出会った時、笑顔で挨拶を受けるぐらいが教師として期待できる喜びだと感じるぐらいが良いのである。

Ⅲ　国家試験合格率の結果・その後

受け持ちの学生数人が、卒業間際になって私の教授室を訪ねてきた。「先生、卒業アルバムに先生の写真を載せたいので、写真を撮らせてくれませんか」と。

何気なく、Vの字をして写真を撮ってもらった。「後ろ向き写真も」との要望があり、そのポーズも撮った。結果は学生からのとんでもない贈り物であった。学生たちが一生持つ大切なアルバムの表紙の表と裏を私が飾ることとなった（写真）。この『卒業アルバム』は今でも私の教師冥利に尽きる宝物である。

その後彼らは国家試験に臨んだ。幸いにして前年（２０００年（第94回））の57・０％の合格率が２００１年（第95回）は92・１％と１年前に比し35ポイント上昇した。学生とともに鋭意努力した結果と心から喜んだ嬉しい出来事であった。

私の在任中の国家試験の合

卒業アルバム

表１　医師国家試験合格率の推移（川崎医科大学：青山在任中）

	西暦	総受験者数（含新卒者）	合格者数	合格率	新卒業者	合格者数	合格率
第91回	1997	115	99	86.1	103	87	84.5
第92回	1998	124	112	90.3	109	97	89.0
第93回	1999	125	99	79.2	113	90	79.6
第94回	2000	117	67	57.3	**93**	**53**	**57.0**
第95回	2001	140	119	85.0	**89**	**82**	**92.1**
第96回	2002	133	116	87.2	112	99	88.4
第97回	2003	110	102	92.7	93	90	96.8

格率を表1に示した。

卒業後数年は1～2年に1回、その後は数年に1回、学生たちが同期会を開いている。その後20年経った今でも、その会に参加の声を掛けていただいている。本当にありがたいことだ。

Ⅳ 学生教育に思う 楽しく講義をするための15ヵ条

1 講義の仕方について

教育は教師の役割として最も重要な事項である。そのなかで講義は中心的な位置を占めるが、実際は研究、臨床、実習の立ち会いなどの忙しさから、十分な準備なしに講義をこなさざるを得ない現状は否定できない。しかし、このようななかでも、教職にあるからには、学生の教育を最優先に考えることは教師としての責務である、と思う。

学生にとってよい講義とは心に残る講義であり、「あのときにあの先生から聞いたことがある」と記憶に残る講義であり、短期的には講義時間内に自らが満足して聞くことのできる講義である。また、教師にとってよい講義とは、学生が目を輝かせて聞いてくれる講義であり、し

表2　川崎医科大学における講義評価（2001年）

2001年度	講義内容	学年	講義出席率（%）	講義の評価点			
				全体	記名者	無記名者	自分の受講の姿勢
8月31日	小児外科とは	3	93.5（100/107）	92.7	93.4	91.1	86.2
10月5日	乳幼児外科疾患	3	88.8（95/107）	94.1	92.1	96.1	84.4
1月7日	小児術前術後の管理	3	98.1（103/107）	89.6	89.9	89.4	81.5
4月11日	酸塩基・電解質	4	89.9（107/119）	90.5	91.7	88.7	84.7
5月29日	小児泌尿器疾患①	4	84.0（100/119）	89.4	90.6	86.1	80.1
6月25日	小児泌尿器疾患②	4	96.6（115/119）	86.3	85.9	87.7	82.3
9月14日	小児肝・胆道疾患	4	95.0（113/119）	89.9	90.2	89.3	83.7
10月23日	小児呼吸器外科疾患	4	93.3（111/119）	86.9	87.1	86.4	80.6
9月4日	小児画像診断（3限）	6	90.9（120/132）	89.8	88.7	92.1	87.7
9月4日	輸液（4限）	6	93.2（123/132）	91.1	90.0	92.1	85.0
	平均		92.3	**90.0**	**90.0**	**89.9**	83.6

っかりと理解してくれる講義であって、結果的に学生からよい評価を受け、それによって自分も満足できる講義である。

このように、学生にとっても教師にとってもよい講義を実現するために、私はすべての講義で学生から評価してもらう方式を取り入れた。

表2は、私が川崎医科大学において医学生を対象に行った講義の評価の一部である。この点数評価には一切基準は設けず、学生個人が自分の尺度によって100点満点で好きな点数を書けばよい、とした。

当初は、100点満点評価法は①具体的に細分化された項目や尺度がないため、適正な評価を受けることができるだろうか？　②教師（私）に媚びを売って良い点をつけ過ぎはしないだろうか？　などの疑問点がなかったわけではない。そのため、①記名・無記名どちらでも構わない②自分の講義を受ける態度も自分で点数（100点満点）をつけることにした。前者により媚びを売って点数をつける必要がない状況をつくり、後者によって私が受講者の態度を判断したものとの格差があるかどうかを評価する指標とした。

結果的には記名者の平均90・0点、無記名者の平均89・9点と、両者の間にはほとんど差がなく、しかも受講者の態度も私が評価したものと大差がなかった。この結果、この方式は講義の評価法として十分に役立つと判断した。

2004年（平成16年）、川崎医科大学退任後に、私は国立岡山医療センターの院長となり、附属看護学校の校長を兼任した。2010年（平成22年）、院長・学校長退任後も、私は岡山医療センター附属看護学校、旭川荘厚生専門学院で看護教育に携わると同時に、岡山大学医学部にて年数回の講義を行った。

表3は2011年（平成23年）度の講義の評価点数表である。

平均点が97・1点であり、満点の100点をつけて

表3　講義評価（2011年）

2011年度	学校名	学年	講義内容	講義について		
				評価点	100点の人数の割合（%）	自分の姿勢
6月28日	岡山大学医学部	1	小児外科医の診察室から一心に残った子どもたち一	93.3	34（38/112）	80.3
7月8日	岡山大学医学部	3・4	後輩へのメッセージ一子どもたちとともに一	93.8	40（74/185）	81.1
9月16日	旭川荘厚生専門学院	1	心に残った子どもたち	99.1	85（82/97）	83.7
9月28日	岡山医療センター看護学校	1	小児外科医の診察室から	99.4	89（90/101）	89.0
10月18日	旭川荘厚生専門学院	2	乳幼児以後の小児外科疾患	98.4	80（84/105）	81.6
10月20日	旭川荘厚生専門学院	2	新生児外科疾患	99.1	87（86/99）	85.2
10月26日	岡山医療センター看護学校	2	小児外科一般	99.4	89（107/120）	93.5
12月5日	旭川荘厚生専門学院	3	輸液・電解質・酸塩基平衡	95.6	71（67/95）	82.8
1月11日	岡山医療センター看護学校	3	輸液・電解質・酸塩基平衡	95.7 97.1	68（77/114）	91.2 86.0
	平均			**97.1**	68.6	86.0

くれた学生が、医学生で37・7％、看護学生で81・1％であったことから、私の講義はある程度学生に受け入れられていると考えた。そこで私は、私の講義に対する考え方、講義の手法を15ヵ条にまとめてみた。

2　楽しく講義をするための15ヵ条

基本的には講義時間はすべて学生のためであるという考えのもとに、講義に集中し、自分が教えよう伝えようと考えたことを、可能な限り伝える努力をすることが、この15ヵ条の前提である。

第1条　質問形式、対話形式の講義を行う

講義中に、教科書を読むことは一切しない。その日に話そうと思うことはほとんどすべて頭に入れておき、それを学生の顔を見ながら対話形式で話をする。学生が答えられそうな項目については、質問をしながら対話を進めていく。もし、自分がすべてを記憶できない内容があれば、できるだけ簡素化した表または図を前もってパワーポイントで作成しておき、これを見せながら話をする。パワーポイントで話をするときも、できるだけ学生の顔を見ながら話す必要がある。

第２条　当てられたら返事をして立つ

私が学生を指名すると、必ず「はい」と返事をして立って答えるように指導する。教師が立って話をしているのに、当てられた学生が座って答えることは道理に合わない。当然立って答えるのが筋である。

医科大学に赴任した当初、明らかに不満だという態度を示す学生もいた。正確な答えが出せない場合はそのまま立ち続けさせておく場合もあるので、学生が嫌な思いをする可能性はある。しかし、こちらが真剣に向かい合って、どうにかして分かってもらおうとしていることを感じた時点で、抵抗はなくなった。

第３条　講義中に学生を眠らせない

私の講義中に眠る学生はまずいない。必ずしも最初から終わりまで講義が面白くて眠る暇がないなどと思っているわけではない。当然、昼食後の90分の講義時間すべてを眠らせないほどの楽しい講義をする自信もない。しかし、睡眠はしばしば感染するものであり、その感染源を絶つことも重要だと思う。私の眠らせない手法のひとつは、眠りそうな学生を指名することである。講義は時間中ほとんど質問形式で行っているので、眠りそうな学生を指名することは難しいことではない。それでも睡眠が感染しそうな場合は、数人の学生を前に出して、参加型講義を行う手法も使う。

第４条　講義中はノート（メモ）はとるな、教科書を開くな

最初の講義で必ず言うことは、「私の講義は一切メモをとらないように」である。決して教科書を開いてはいけない、とも強く言って講義を始める。メモをとる者、教科書を開いている者がいたら、講義中に注意をして必ずやめさせるように指導する。

私の学生時代を振り返ってみても、メモをとって家に帰り、すぐ読み返した記憶がない。結局、分かりにくいメモが残り、試験のときの勉強は教科書でするということが多かった。その経験から、私はその講義の時間中に、可能な限り覚えて帰るように指導している。一字一句を覚える必要はない。講義が印象的でその分野の医学の知識を得ることは楽しいことだと悟ればそれでいいと思う。その後、教科書を読むこと、患者さんを診ることで、足りないところを埋めればよい。教科書を読みたい、患者さんを診たい、もっと知りたいという気持ちを持たせることが重要だと思う。要は講義のエッセンスのみが記憶に残っていればよいと思う。

第５条　講義内容は講義終了時に配付する

大学で講義を始めた当初は、一切資料の配付をしなかった。多くの学生は、ノートをとらないことを不安に思い、一部の学生はそのことが頭にあって講義どころではない、という悩みを訴えた。このことに関して、評価表の文章でも指摘を受けた。それ以来、講義で話す重要なこと、特に記憶しておく必要があることは、必ずプリントにして講義終了時に渡すことにした。講義開始時に、講義の内容で記憶の必要なところはすべてプリントにして、終了時に配付する旨

を話しておく。その講義で記憶し、メモが必要なことは講義終了時にできるだけ早く、その講義のプリントに自分で記載しておくよう指導をする。わずか5〜10分の復習で十分である旨を話す。

第6条　物語で学ぶことを教える

ある疾患を記憶する方法として、物語を用いて話をする。患者さん一人ひとりは人間なので、そこまで生きてきた歴史がある。疾患は事象ではなくて「人象」である。それを考えて理解することが疾患を最もよく記憶できる方法である。

具体的によく使う物語を提示する。「昔々、あるところにお爺さんとお婆さんがいました。お爺さんは山に柴刈りに、お婆さんは川に洗濯に……」。このフレーズで、「皆はこのお爺さんとお婆さんは田舎で質素に暮らしている状況と判断すると思います。決して都会の真ん中で派手な服を着て暮らしているとは思わないのでしょう」と。

例えば、小児腸重積症の説明に、「子どもの疾患で、血便・腹痛・腹部腫瘤が3主兆候です」と話しても、なかなか覚えきれない。これを物語風に話をするとすれば、まず腸管と腸管が重複した病態を、図を描いて説明した後、「生後4カ月から1歳半くらいのぽちゃぽちゃとしたとても元気な子どもが突然……」という話から始める。この出だしが、「お爺さんとお婆さんが」という出だしに当たる部分である。つまり、人格を持ったひとりの人間の存在を想像させながら話を進めるのである。病気の説明には統計や頻度の話はいらない。個人の物語の方がずっと理解しやすい。病気が理解できた後に頻度の話をすればよいのである。

第7条　できるだけ絵を見せる、身近な出来事を入れる

小児外科の特徴ともいえるが、多くの疾患は写真を見て診断がつく場合が多い。そのため、その疾患群については、絵を見せることは必須事項である。鎖肛を10分かけて言葉で説明するよりも、10秒間絵を見せる方が、説得力があるばかりでなく興味が持てる。あらゆる疾患で可能な限り、絵（写真・図）を見せるのがよい。画面に文章の羅列が避けられない場合は、全く関係のない絵の挿入も学生を和ませる意味を持つ。

学生に興味を持たせるもうひとつの方法が、身近に起こった出来事、最近話題になったニュースなどを入れる方法である。例えば、看護倫理の話をするとき、先日あった入院患者殺人事件の話題をまず取り上げ、その後「倫理とは……」と始める。

第8条　時間を厳守する

現実問題として、講義時間の5分の長短はさほど問題ではない。しかし、あえて時間はしっかりと守るべきだと言いたい。時間を守ることは学生に対しての礼儀である。学生に対して学生としての礼儀を要求するからには、自分も当然礼を失しない行動をとるべきである。これは決して難しいことではなく、話す

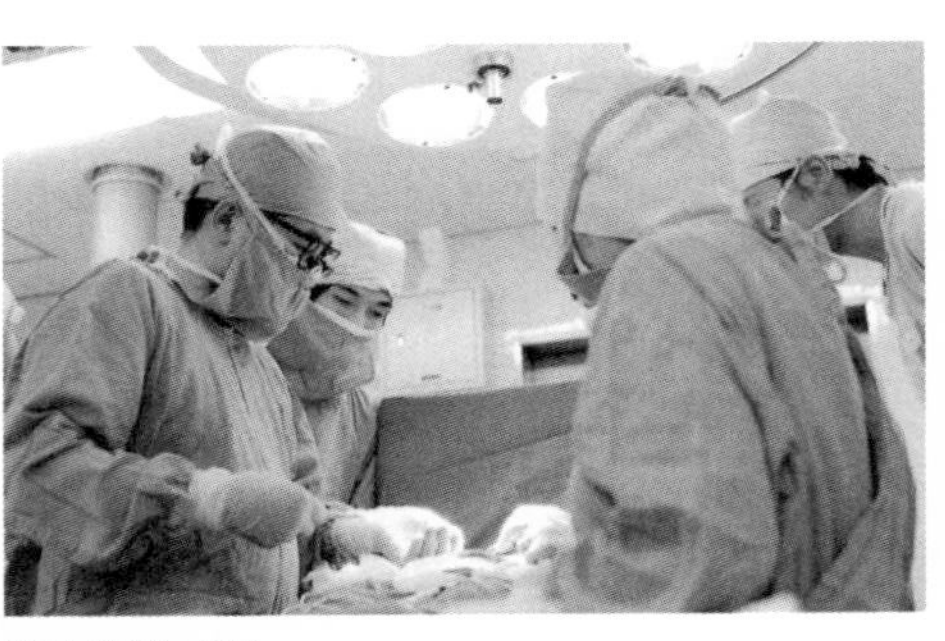

学生指導手術

速さと内容を少し調節すれば済むことである。お互いの心地よい緊張感が講義には必要であると思う。

大学赴任当初、講義開始時刻に遅れる学生が少なくなく、注意してもなかなか改善しなかった。その対策として、講義を始めると同時にドアを閉め、学生が遅れて入ってきた場合は、必ずその学生が席に着くまで講義を中止することにした。荒療治ではあったが、皆の視線に晒される苦痛が最良の治療薬となり、遅刻者はほとんどいなくなった。

第９条　あまり多くを教えない

例えば、新生児外科的疾患の講義を考えてみよう。新生児外科的疾患では20疾患ぐらいが浮かんでくる。しかし、これらをすべて教えようとすると、学生も覚えるのが大変であり、理解もしにくい。概略、これらの疾患は頻度からいうと上位10疾患で90％以上を占める。この前提に立ち、私は、新生児外科疾患は10の疾患を理解すればよい、わずか10疾患です、という話から講義を始める。90分間で10の疾患をスライドで絵を見せながら、さらに黒板に図示しながら説明する。10という数字、それだけ覚えればよいということは、分からないことを覚える励みになると思う。当然のことながら、講義終了時に疾患の概要についてまとめたプリントを配付する。

第10条　最初に講義内容を話し、最後に理解度をチェックする

講義の最初に、その時間の講義内容を質問形式にして話しておくのもよい方法である。輸液・

酸塩基平衡・電解質の話をするときはこの手法を使う。

具体的には、講義の最初に、①代謝性アルカローシスとはどのような状態をいうのか？　②生理的食塩水１００㎖と５％ブドウ糖１００㎖を合わせた液の浸透圧はいくらか？　③スポーツドリンクは点滴の代わりになるか？　④高橋尚子のスペシャルドリンクとは？　など10程度の質問をし、これからの90分の講義ですべて理解できるようにするので、しっかり顔を見て講義を聞くように、と話しておく。ほとんどの学生は、非常に興味があるテーマなので真剣に話を聞く。講義終了時に再度同じ質問をして、講義理解度をチェックする方法である。

前9条と10条は比較的似た手法であり、「限られた範囲を記憶すればよい」と示されたものは理解しやすいと思う。

第11条　理解するまで説明する

ほとんどの講義で、講義中は質問をしながら理解度をチェックする。もし、理解度が悪ければ、繰り返し説明する。少なくとも、講義中には全員が理解できて初めて前に進むことができるという覚悟で臨む。理解させるのに重要なことは、できる限りその事柄が「なぜそうなるのか」の理由づけを、分かりやすく説明することである。当然、研究者を育てる講義ではないので、教科書程度の理由づけで十分である。

例えば、輸液の話で「維持輸液は体重が云々で……、下痢のときは云々です」という教え方は、暗記を促す教え方だと思う。この際、人間の身体を最良の状態に保つためには、「身体から出たものを補う」ことが原則である、と基本的な原則を最初に話しておく。そうすれば、自ずと維持輸液の基本は尿であり、マラソン選手の補給の基本は汗だ、ということを自分で考えることができる。それにより、輸液の組成も量も分かりやすく理解できる。わずかな一文でその後の理解がずいぶん変わることは、しばしば経験することである。

第12条　ひとつの質問ができるよう学生に準備を促す

医学生、特に大学院生の講義に使う手法のひとつである。大学院生の講義ではいちいち質問をしながら話すことはほとんどないので、彼らは話に興味がなければ聞き流す可能性がある。皆に講義に参加してもらうために、講義の初めに「講義が終わったとき、何かひとつは質問をするように」と話しておく。そうすれば、聞く方が真剣になる。私自身も、さまざまな講演を聞くときはこの手法をよく使う。眠気を消失させるにはよい方法であると思う。

第13条　他の教師の講義を聞き、その手法も参考にする

ぜひ人気のある教師の講義を聴講するとよいと思う。「百聞は一見にしかず」ではなく、「百読は一聞・一見にしかず」である。聴講時は講義内容より手法を学ぶことが大切だと思う。よい例は、婦人に人気のある「綾小路きみまろ」である。話の内容は好んで受け入れられるとは言いがたいものではあるが、彼の話術をもってすれば見事変身するのである。「私の話は良い内容なので、聞かない学生が悪い」などというのは通じない。学生が理解して初めて教師の役割が果たせるのである。

第14条　講義の評価を受ける

講義をする者の態度として最も重要なことだと考えている。多くの教師に、「あなたは自分の講義について学生から評価を受けていますか？」と聞くと、「定期的に評価を受けている」という答えが多い。評価が学校のシステムに繰り込まれている場合も少なくない。一般的な評価方式は多数の項目のチェック方式である。その方式が必ずしも悪いとは思わないが、私自身は、100点満点方式のほうがよいと考えている。講義内容の良い点、悪い点は学生に文章で書かせればよい。その方が具体的で的を射る。ただ、この100点満点方式は直接数字に出るので、実際に使用すると教師にとってはかなり厳しい評価となることの覚悟が必要である。

私事になるが、講義の前日に会があって夜遅くまで飲酒し、しっかりした準備をすることなく講義をしたことがあった。その結果、見事にとんでもない評価を受けた。この方式で評価を受ける限りは、日々の講義が真剣勝負にならざるを得ない。その意味では最良な方法と考えている。ただ、私のように1年間に十数回の講義ならいいが、1年間に100回以上も講義をしている先生方にとってはかなり負担になる可能性がある。もし負担になるなら、年に数回でもよい。自分がこれはと思って準備した講義の際に、この方式で評価を受けたらよいと思う。それでも十分に参考になる。どのような形の評価でも、ぜひその結果を講義にフィードバックしてほしいと思う。

第15条 受講態度を学生自らが評価する

講義終了時、受講態度を自らが振り返る機会を持たせることは重要である。講義内容を同時に自分で評価することで、講義中に眠ったことを反省させるばかりでなく、講義を聞けなくてもったいなかったと思わせることができれば、なおよい。講義中に感じた学生の受講態度と、学生自ら評価した点数との間の格差を確認するのにも、良い方法だと思う。

以上に述べた講義法は、すべての講義に当てはまるものもあれば、その講義内容によって使い分ける必要があるものもある。いずれにしても、教師たるもの、教育をして初めて教師といえるのであって、その他のことでいくら秀でていても、それは教師としての喜びには結びつかないものである。ぜひ、学生が楽しく学べるよう、教師もその手法を含めて上を目指してほしいものだと思う。

私は講義の評価を受けるとき、点数評価以外に『講義印象録』として自分の思ったことを自由に書いてもらうようなスペースをつくっている。以下に講義後の『印象録』に記載された一部を載せた。講義の参考になればと思う。

3　学生の印象録の結果

前述したように私の学生講義の評価は、幸いにして川崎医科大学医学生・岡山大学医学部医学生・岡山医療センター看護学生・旭川荘厚生専門学院看護学生のすべての講義で平均90点以上の評価をいただいた。以下はその時の学生の自由記載分の一部である。

①講義名：心に残った子どもたち　岡山大学医学部1学年学生

とても刺激的な授業でした。今まででいちばん引きこまれた授業でした。先生の、生徒に採点をさせるという姿勢がまず衝撃でした。こんなにも私たち生徒に対して裸で、真剣に向き合われていると、私に実感させてくれた先生は初めてでした。

青山の講義中の学生たちの雰囲気（卒業アルバムから）

先生の今までの医師としての喜びや医療の楽しさを率直に私たちに語ってくださり、とても興奮しましたし、私も早く医師として働きたいと思いました。

②講義名：後輩へのメッセージ　岡山大学医学部４学年学生

まず最初に申し上げますと、毎日さまざまな科目、さまざまな先生の講義を受けておりますが、こんなに楽しいと思える充実した講義は本当に久しぶりでした。自信をもって最高の講義であったと言えます。

先生の数々の経験一つひとつから、先生自身が感じられたこと、学ばれたことを聞くにつれ、心から医師になりたいと改めて思いました。たった一人の患者、たった一度の経験がこんなに大きな意味をもち、こんなに多くのことを学ぶことができる、医師という職業の素晴らしさを本当に感じました。

③講義名：新生児外科疾患　旭川荘厚生専門学院２学年学生

新生児の正常を知り、異常に気づくという考え方で新生児を見ていくことが大切だと学びました。実習に行った際には新生児の表情や全身の状態をしっかり目に焼き付けておきたいと思います。また、以前に小児科で授業を受けたときは疾患が多くて症状を覚えるので精一杯という感じだったので、今回の講義での10の疾患を覚えればいいということに驚きました。全体の

90％は10の疾患だということが分かり、どこを重点的に学習していけばいいのかが分かりました。黒板を使って実際に図を書いて説明する方法も分かりやすかったです。

④講義名：小児外科一般　岡山医療センター付属看護学校２学年学生

先生の「メモを取らない、教科書を見ない、ひたすら僕の顔を見て」という講義スタイルで講義を受けると、とても頭に入ってきたし、病気を理解するために物語で考えるという新たなスタイルは分かりやすく、目からうろこが落ちる思いでした。

⑤講義名：高橋尚子のスペシャルドリンクの秘密―輸液・電解質・酸塩基平衡旭川荘厚生専門学院３学年学生

今回の講義は本当に楽しかったです。正直講義前は、高橋尚子に興味があまりなかったため、講義もいったいどのようなものかわからずにいたのですが、実際には先生の講義に引き込まれる自分がいました。あっという間の90分で、素直にわからないといえる講義で繰り返し何度も説明してくださる先生の姿がとても印象的でした。

第4章

赤字350億円からの脱却

――岡山医療センター院長時代

２００４年（平成16年）４月、国立病院が独立行政法人国立病院機構になる際、院長として赴任することになった。全く経営経験ない私で務まるのかという不安はあったが、医師になった時からずっと世話になった病院への恩返しの思いもあったので、引き受けることにした。

本章は、医療雑誌「最新医療経営」に求められ、２００９年（平成21年）５月号から概略1年間独立行政法人国立病院機構岡山医療センター院長として過ごした６年間を振り返り、病院経営のあり方を自分なりに総括したものをベースに、当時を振り返ったものである。したがって、かなり細かいところまで言及しているので、その点ご容赦願いたい。

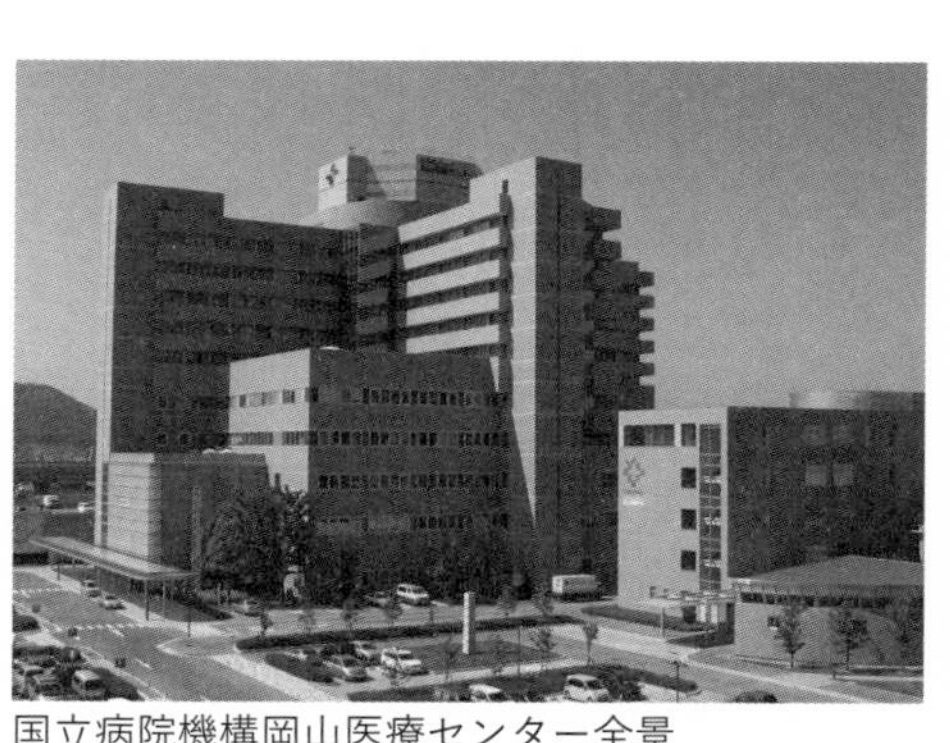
国立病院機構岡山医療センター全景

Ⅰ　ゼロからの出発

川崎医科大学に赴任して６年が過ぎ、５、６学年を受け持った学生がある程度満足できる成績で国家試験に合格し、私自身が学生教育を楽しんでいたころである。国立岡山病院の西崎良知院長から連絡を受けた。国立岡山病院が独立行政法人国立病院機構岡山医療センターになるので、ぜひ院長で帰って来てほしい、というものであった。私は院長の経験がなく、病院経営については全くの素人である。また、うわさによると相当額の借金があるとのことである。それに加え、現在は教師生活を楽しんでいる、などから一度は辞退させていただいた。

しかし、その後も、私が研修医で国立岡山病院に勤務した頃からお世話になっていた尊敬する西崎先生と休日毎に何度か話をさせていただき、強く要請された。また、川崎医科大学の川崎祐徳理事長に相談したところ、「貴方の育った病院のために力を発揮するのも貴方にとっての良い生き方と思います」という温かい言葉をいただいた。国立岡山病院は30年間お世話になった病院でありぜひ恩返しをとも考えたが、私には病院経営に自信はなかった。それを心配した私に対し、西崎院長の「先生、現在より収益を5％程度上げてくれればよいと思います」という言葉を頼りに、院長を引き受けさせていただくこととした。後で知ったことであるが、私が院長になるに際し、西崎院長は岡山大学から随分強いお叱りを受けたそうである。国立岡山病院は、岡山大学にとって非常に重要な関連病院である。その病院が、岡山大学の医局に属していない青山を岡山大学への相談なしに院長にすることは、許しがたいことである、とのことであった。今でも西崎先生には申し訳なく思っている。

1　350億円の借金を抱えた病院の院長に赴任

独立行政法人国立病院機構岡山医療センターは、1945年（昭和20年）に国立岡山病院として運営を開始して以降、小児医療や循環器病、移植医療を中心に、高度医療を提供する中国地方の基幹病院としての機能を果たしてきた。1991年（平成3年）にはユニセフから、先進国では世界初となる「赤ちゃんにやさしい病院」に認定されるなど、未熟児新生児を対象とした小児医療に定評のある病院として高い評価を受けている。私は2004年（平成16年）4月、国立病院が独立行政法人国立病院機構になる際、全く経営経験のない状態で院長として赴任することになった。赴任前、350億円の借金があるとは聞かされていたが、国立時代の借金なので、独立行政法人になれば全部は返済しなくていいのではないかと安易に考えていた。また、350億円というお金がいかほどのものかもよく分からないまま、院長を引き受けた。

赴任当時、私自身は恥ずかしいことに、PL、CF、BSなどという経営指標用語も一切知ら

院長赴任当時

ず、お金に関しては、日常の現金の扱いと、銀行の借金で家を建てたときにローンで返済する方法しか知らない状況だった。いわゆる家計簿のレベルのお金の出し入れが理解できる程度だった。

そのような状況で、赴任早々、理事長、副理事長との対面のため、機構本部に赴いた。私自身、小児外科臨床30年、大学教授としての教育７年の経験があり、自分なりの理想的な病院像を持っていた。そこで面談当日、私の理想の病院について得意な顔で滔々と語った。そのとき、看護学校学生数の増員の必要性についても述べた。30分の予定が１時間に延びたが、最後までゆっくり話を聞いてくださった河村博江副理事長の最後の一言は、「先生の言われる理想の病院はよく分かりました。頑張っていいものをつくってください。ただし『黒』ですよ」だった。あまりにも簡潔で、しかも有無を言わせぬ言葉だった。

この副理事長のひと言は衝撃的であり、その後の私の院長としての方向性を決めることになった。病院に戻って現実に直面し、さらに驚いた。とにかく黒字運営をしなければどのようなお金も使えないことが分かった。どうやって３５０億円の借金を返済するか、本気で考えねばならなかった。とにかく借金を返済しなければ、何も進まないと考えざるを得なかった。３５０億円との戦いが始まった。当然３５０億円を一気に返すことは到底できない。本部から示された年間概略20億円の借金返済プランに沿って、返せるように頑張らなければならない。しかし、年間収益が５％伸びた程度では到底返済できる額でないということは容易に理解できた。ではどうすべきか。まずできることから始めるしかない、と思った。

2　できることから順次始めよう

岡山医療センターは、岡山市の北のはずれに建つ12階建ての素晴らしい病院だ。6万平方メートルの敷地のなかに、病院施設のみならず、看護学校、保育所、職員宿舎なども完備している。病院内には200名が座って入れる大研修室、150名がゆっくり座って食事のできる食堂・売店のみならず、30室もの研修医のための個室の宿舎を有し、580床、23診療科のいわゆる大病院だ。病院の建物は国立病院最後の建物といわれ、1床当たり6000万円という巨額な投資でつくられている。地震・火災などの備えは万全であって、この地方に地震があっても最後に残るといわれる建物で、一病棟で起こった火災は防災ドアさえ閉めれば、30分間は決して他の病床に類焼することはない状況だ。岡山の中心地からは少しはずれるが、高速道路の岡山インターから車で5分の場所であり、中国地方のみならず四国からの利便性もよい病院である。

ただ、実際に運用しようとすると、欠陥の多い病院でもあった。外来が2階にあり、玄関を入って外来に行くには必ずエレベーターかエスカレーターを利用しなければならない。そのエレベーターは小さくて、車椅子が2台やっと入れる程度でストレッチャーは載せられない。正面入り口はホテル並みの立派な回転ドアで、患者用椅子は布製張りの特注で高価な美しいものだが、汚れが禁物の病院には適さないなど、至る所に改善の必要があった。

それにもまして最も重要なことは、国立病院時代の３５０億円という借金を抱えており、これは国立病院機構内の病院としては長崎医療センターの３７０億円に次いで２番目に巨額なものであるという事実だった。しかも、その返済がちょうど赴任の年、２００４年（平成16年）度から始まり、16年度11億円、17年度14億円、18年度18億円、19年度20億円、20年度20億円、21年度21億円、22年度21億円、と決まっており、これに沿って返済をしなければ、自院での自由な活動が一切できないようになっていた。当然、最大の課題は借金の返済であり、病院経営の経験の全くない私がどのようにしたらよいのか手探りの状態だった。

よく考えてみれば、多くの私立の病院が自力で運営をやっている。それなら本院もできないはずはない。———いろいろな思いが交錯したが、結局は、いくら考えてもできることから始めるしかない、職員が一丸となって歩むしかない、という結論に達した。そのためには皆が楽しく働ける状況をつくらねばならない、と考えた。

本館北側に看護学校、駐車場を挟んでさらに北に職員宿舎がある

3　事務部長との面談

国立岡山病院は独立行政法人になる前は予算制であったため、収支はすべて国の管理下に置かれていた。当然、前年の病院の収入が加味されながら、国から来るお金によって病院が運営されていた。そのため、本院のように中央から派遣されてくる事務部長は、国に顔が利くということで病院では大きな権力を有していた。ある意味では院長は、事務部長の顔色を窺いながら病院経営をせざるを得ない状況にあり、その裏返しで、院長の経営責任も強く追求されることはなかった。

しかし、独立行政法人になってからは、すべての権限と責任が院長に移行した。その権限の移行は必ずしも容易でないことは充分推測できた。私は赴任当日、事務部長と面談し、まず経営状況の説明を受けた。同時に、部長の病院に対するビジョンを尋ねた。それは、概略私の理解の範囲内のものだった。その数日後、幹部会議を招集し、その席上でまず、「この病院のお金に関すること、人事に関することは、すべて院長である私が決定します。当然あらゆることに関してすべて責任を負います」と宣言した。事務幹部は、初めて赴任した院長がとんでもないことを言うと戸惑う向きもあったが、このことはあえて皆の前ではっきりと言っておく必要があると考え、実行に移した。以後も幹部が代わるごとに常にはっきりと話した。

これは非常に重要なことだと思う。特に国立病院機構のように幹部職員の転勤が多い組織や、私立でない組織においては、職員すべてが誰に権限と責任があるのかを確実に認識しておくことは重要だ。さらにいえば、そのことを実行しなければならない。権力の集中があって初めて組織は機能することができるのだ。

４　職員との面談

病院は人が動かす――その中心にあるのは医師であることは間違いない。しかし、全職員の60％を占めるのは看護師だ。さらにコ・メディカル職員、事務職員も、病院にとっては重要である。そのため、すべての医師、および各部署の責任者と面談を行うことにした。医師は少なくとも30分以上、その他の部署の幹部職員とはすべて30分の面談を行った。ほぼ１カ月間を要した。

ありがたいことに、スタッフは非常に優秀であることが分かった。特に、医師は非常に優秀であり、これならやれるかもしれないとの実感を得た。ただ、経営を加味すると、３分の１は放っておいてもいい。３分の１は親方日の丸という感覚を捨てて本院が上げる収益で自分の給料がまかなわれていることを認識してもらう必要があった。そして、残りの３分の１はかなり力を入れて病院の置かれた立場を理解してもらう必要があることが分かった。

看護職員は、一般看護のみならず、病院経営に必要な感染・安全管理等に対しても非常によく理解できていることが分かり、事務職員は非常に優秀で事務能力に優れていることが分かった。しかしあまりに多忙で目の前の仕事に翻弄されている状況も把握できた。したがって、これらの職員を動かすには、まず実績を上げる、数字を出すことが最も重要であることが分かった。

5 花と笑顔と語りかけ

これだけの借金を抱えての出発では、元気を出す以外には解決の方法がない。そのためには、キャッチフレーズが重要だと考えた。音調も考え、「花と笑顔の病院」とした。とにかく皆で、「おはよう、こんにちは」と声を出して笑顔で挨拶することにした。

岡山だから、花を飾るのなら備前焼がいいと単純に思い、すぐ備前に住む友人に頼んで備前焼店を紹介してもらい、自分で備前焼の買い出しに行った。そして、備前焼の花瓶を50個購入し、病院の至る所に生花を飾った。それから、花屋さんに頼んで、1週間に2、3

備前焼に花を

回新しい花に交換できるような契約をした。このことは、いくら贅沢に思われても、私の在任中は続けると宣言した。生花は、看護助手が中心になって手入れをしてくれた。

さらに、その後数カ月して「語りかけ」を加えた。患者さんと廊下やエレベーターで会ったとき、声かけが可能な状態なら積極的に「こんにちは」と語りかけることにしたのだ。それ以来、「花と笑顔と語りかけ」が本院のキャッチフレーズになった。

６　在院日数17日以下を３カ月で達成

赴任当時、当院の支払い制度はＤＲＧ／ＰＰＳ（診断群グループ包括見込み支払い制度）だった。その後、ＤＰＣが普及して浸透してきたが、当時はでき高制度の余韻があり、年間の総収益の見込みの計算では常にベッドを満床にすることが絶対命令だった。１年の入院収益は、計算式（入院患者数×日当点数×３６５）から入院患者数の増減が直接収益につながると考えていた。そのため、当時一般的に多くの病院はベッドを埋めることに窮々としており、金曜日に退院できる患者をできれば月曜日まで延ばしてほしいという管理者から

病院受付

の要望を受けた医師や看護師は少なくないと思う。その方向性は本院にも残っていた。しかし、ＤＲＧ／ＰＰＳのような包括医療においては、早く帰しても長く入院させても全医療費は同じなので、回転率をよくした方が収支がよくなるということを理解する必要があった。そのため在院日数の減少は必須事項だが、在院日数を減らせ、しかし、土・日曜日はできるだけ入院を延ばせでは、勤務者（特に医師）の反発に遭うのは当たり前だ。

そこで私が、入院患者数はいくら減少してもよいので、とにかく早く帰すことのみに専念してほしい。患者数の減少に伴う収益の減少についてはすべて私が責任を持つ、と宣言した。当時、19・５日だった在院日数を２年以内に17日以下にするという目標が提示されていたのだが、私は３カ月以内に目標を達成するように指示した。幹部職員からはいくらかの抵抗はあったが、強引に進めた。その結果、３カ月で16・３日となりその目標を達成できた。ＤＰＣの病院はできるだけ在院日数を下げる方向に、でき高の病院も医師の良心に添って在院日数を延ばさないようにすることが、経営的にも良い結果をもたらすと思われる。働く人が気持ちよく働ける環境づくりが大切だ。

7　理念の変更

赴任前の理念が決して悪かったわけではない。ただ、心機一転、病院は変わるのだ、という意識を持ってもらう必要があった。そのためには、私の考える理念を提示する必要があった。本院は１９９１年、ユニセフから先進国では初めて「Baby Friendly Hospital：赤ちゃんにやさしい病院」の称号を受けている。この名誉は今でも続いており、国内でも母乳哺育のメッカとして機能している。そこで、これも含めて「Human Friendly Hospital：人にやさしい病院をめざして」とした。

基本方針として、１．患者さまにやさしい病院を目指します　２．病院で働く人にやさしい病院を目指します　３．地域の人にやさしい病院を目指します、とした。さらに運営計画として、１．患者さまにやさしい病院を目指しますでは、①安定した経営基盤の確立、②医療の質の向上、③患者さまの権利と尊厳の保障、④病院運営方針の公開と周知・実行、⑤環境の整備・充実とした。２．病院で働く人にやさしい病院を目指しますでは、①楽しく働ける環境づくり、②健康に働ける環境づくり、③教育・研修の充実、④職員相互の親睦を深める、とした。３．地域の人にやさしい病院を目指しますでは、①公開講演会の開催、②地域教育会の開催、③公開催しものの実施、④地域の人との親睦・交流会の開催、⑤医療による国際貢献、とした。

患者さまにやさしい病院になるためには、医療の質の確保・向上は必須だ。現代医療において、医療の質を保つためには、最新医療機器の整備が必要である。そのためには経営基盤の確立は絶対条件である。しかし、いくら環境が整備されても、職員の接遇が悪ければ決して患者の満足は得られない。そのためには職員の協力が必須であり、すべての職員に病院の置かれた状況を知ってもらう必要があり、職員のマイホスピタル精神を養う必要がある。

これらをまとめると、自分が病気になったとき、自分の家族が病気になったとき、自分の病院として心から本院にかかりたい病院をつくることだと思う。病院で働く人にやさしい病院になるためには、まず働いている人が楽しくなければならない。自分が楽しく働けない病院にかかる気にはならないのだ。そこで誇りを持って働くことも、楽しく働ける条件のひとつだと思うが、そのためには、自ら自分を高めることができるように、病院としては教育、研修の充実を図る必要がある。週のうち5日いる病院が2日休む日より楽しい場所になれば最高だと思う。

地域の人にやさしい病院になることは重要なことだ。私たちのような大きな救急病院は、地域の人たちに日々直接の診療で役に立つことは少ない。しかし、何か入院しなければならないような大きな病気になったときは、近所にかかる病院があるという安心感を持ってもらうことが重要だ。地域の人に病院があること自体を誇りに思ってもらえる病院にする必要がある。そのためには、地域を巻き込んだ催しものの開催は非常に意味がある。教育会、講演会のみならず、地域の人と一緒にやる夏祭り、秋の病院祭り（オープンホスピタル）なども積極的に行った。

８　幹部会議・各種委員会の改革

私自身は過去に経営に参加したことはなかったが、いくつかの委員会に属して委員長として議題を討論し、その結果を施設経営者に提出したことはあった。そのなかには、施設に対する要望、進言なども含まれていた。しかし、そのときの印象として、なぜこのように多くの委員会がないといけないのか？　要望・進言を出したことに対して施設の返事はなぜこのように遅れるのか？　返事がないこともしばしばあり、これはどういうことなのか？　と多くの疑問点があった。

そのため、まず、幹部会議の改革を行った。本院の従来からの幹部会議は、週１回１時間程度行われていた。多くの病院に聞いても、週１回なら１～２時間程度のところが多いようだった。私の考えでは、このような幹部会議ではほとんどが報告会に終わってしまう。そこで私は、この幹部会議を討論して結論を出す場所にしようと考えた。

また、委員会が多すぎた。委員会のメンバーをよく見ると、しばしば重複している。そこで、一度委員会をすべて解散し、本当に病院運営に必要なものだけを残そうと思った。結果的には80程度あった委員会は20程度になった。院長がメンバーとなった委員会も多くあったが、私自身は病院規程上必要な委員会のみに出席する、あとは委員会の答申に対して幹部会議で結論を出す形にした。その結果、私自身が出席を義務づけられた委員会は１カ月に数回になった。

そのような状況のなかでの幹部会議は、週1回、最低5時間、長いときには夕方4時から始めて日をまたぐこともあるようになった。その代わり、さまざまな部署、委員会から出されたすべての問題点について、原則的にはその幹部会議ですべて決定する、すなわち過去1週間の疑義に対してすべて解決するという方針で会議を位置づけた。今日は議題が多いので、弁当を準備するように私が世話係に言うと、それを聞いた多くの幹部は、遅くなることを覚悟したものだ。3〜4年を経ると、多くのことが軌道に乗ったため、日をまたぐことはほとんどなくなった。

9　原則的には経費節減なし

多くの赤字病院を立て直すとき、分かりやすく簡単で、しかも即効性のあるのは経費節減だ。これは重要な要素だが、方向性を誤ると大変なことになる。決してうまくいかない。私の考えでは、数億の借金返済はこれでいくだろう。しかし、私たちのような3桁の億の借金返しはこれでは無理だ。

そのためには、原則的には「経費節減なし」の方向性で進めることにした。特に、診療に直接触れるところはその方針を貫いた。もちろん、事務手続きとして、同等な機能のものは安い方を選択、高価な器械購入は優先順位に沿って購入するなどは当然行ったが、直接診療報酬を得る最前線に立っている医師に、この病院は診療に必要なものまでケチっているという感覚を植えつけないように、最大の注意を払う必要があった。

同様な例に、病棟内の冷暖房の問題がある。個別の場合はよいのだが、全病院的管理が行われている施設も少なくないと思う。冷暖房の切り替え時期が問題となる。大きな病院になるほど1日の切り替えで数十万円変わることもある。しかし、ここで重要なことは、何の誰のための冷暖房かを考え、患者に不快な思いをさせないことに徹することだ。これは経費節減ではなく、患者にケチな病院を印象づけるだけでなく、病状を悪化させる可能性もあり、経費節減のよくない代表である。

反面教師として、以前働いていた病院の経験例があった。気管内挿管のチューブが患者のサイズに合わず、廃棄せざるを得ないことが時々ある。特に小児においては起こり得ることだ。その際、1本ごとに廃棄の理由書が義務づけられていた。しかも、当事者のみならず、科の責任者の確認までが義務づけられていた。消耗品のうち気管内挿管チューブのように比較的安価なものから高価なものまで多岐に渡っていた。これはムダをなくすという意味で、経営者としては最もやりたいことのひとつだが、これをやると命取りになりかねないことを充分に理解する必要がある。

例えば、値段を設定して一定の額以下は言わないとか、会議などの別の場所で言うなどである。具体的な場合を考えてみる。誰も気管内挿管のチューブを間違えようとしてやってはいない。年齢と身長などを見て、これがよいからと準備するわけだ。その結果、サイズが合わない場合があり、他の人には使用できないので止むなく廃棄することになるのだ。そのようなとき、理由書を書かされるとどうなるか?「この経営者のケチが。私たちをなんだと思っているんだ」となり、働く意欲に影響するようになる。もしもやるにしても、ある程度納得できる、5000円、1万円以上にしぼる必要がある。

その他、ほとんどの消耗品はフリーマーケットにすることにした。病棟で必要なティッシュペーパーや事務用品を倉庫から持ち出すとき、管理人がいたり、細かくノートに記載して持ち出したりするのが一般的だが、これをやると非常に面倒になる。そのため、病棟はできるだけ在庫を多くして補充の回数を減らすことを考える。品物のある場所だけはっきりして、いつどれだけ持っていくのも自由とすれば、病棟も煩わしさがなくなり、在庫も少なくなり、非常に便利になる。これらの手法の基本は、職員を信頼することだと思う。当然のことながら、ムダを省くことは重要だ。不必要なところにいつも電気をつけておく必要はないし、不必要なところに人を配置する必要もない。しかし、職員を信頼して任す、経営者に信頼されているという、この基本的な考えが重要だと思う。

10　借金の状況を明らかにする

経営の基本は、どれだけ多くの職員を経営に取り込めるかであると思う。いくら収益を上げよ、経費を節減せよと言っても、普通の人なら、なんのために、誰のために、が出てくる。なかには、とにかく自分さえ給料がもらえればよいとか、与えられたものを勤務時間内にこなすことで満足だという人もいる。それはそれでいいのだが、公営施設では、その大義をどのように理解するかで、働くエネルギーが変わってくると思う。

そのためにまずやること、やったことは、情報の共有である。特に重要なのは、借金の公開、経営上、自分たちの病院の置かれた状況を皆に理解してもらうことだ。私は就任当初から常に３５０億円という数字を言い続けてきた。そのために、ほとんどすべての職員がこの数字を知っている。さらに、年を追っての借金残高もずっと公開してきた。ただ、預金がどれだけあるかを知っている職員は少ない。これは敢えて細かく知らせる必要のないことである。これが経営の妙だ。

11　顧問弁護士を置く

働きやすい病院にするための条件のひとつとして重要なものは、医師の負担を軽減することである。負担のうち最も重要なもののひとつが、患者からの訴えに対する対応だ。この訴えにはいくつかある。患者の病気に対しては当然責任を持って対応するが、正当に治療していてもクレームをつけられることもあり得る。この対応は、医師のみでは難しいこともある。さらに医療ミスが起きる可能性もある。これらに対しては、しっかりと説明して陳謝し、保障が必要になる。

これらすべてに対して、ほとんどは医師個人が関与せざるを得ない状態だった。機構として顧問弁護士を置いていたが、これは中国・四国地方23病院すべてを2名で担当するものであり、日々の訴えにとうてい耐えられるものではなかった。そのため、本院独自で顧問弁護士を置くことにした。それによって、ことの大小にかかわらず、何か問題が起きれば顧問弁護士の見解を聞き、それを含めて対応することができるようになった。

訴訟になるのはわずかではあるが、1カ月に1件程度は相談に乗ってもらっている。一度問題に直面した医師は、以前に比べてとても助けになったと、本当に喜んでいた。もし、医療行為に関連して患者が死亡した場合、それが医療事故であれ医療ミスであれ、普通の殺人行為とは異なるものだ。そのとき行われた医療行為は、少なくとも死に至らしめようと思ってやったものではない。どうにか患者をよくしようと思って行ったものの、結果的に不幸なことになったというものである。しかし、その結果患者の期待に添えなかったのは事実であり、もしそれが事故、ミスならば、それに対してなんらかの償いをするのは当然だ。

これらを含めて、私たちは、もし本院の医療行為で問題が生じた場合、まず医療安全チーム、弁護士を含めた関係諸氏が集まり、この行為は現在の医療レベルから考えて適切な行為の範疇に入るかどうかを真剣に討議する。もし、適切な行為の範疇に入ると判断した場合は、その行為と結果に至った理由をゆっくり説明させていただき、期待に添えなかったことを詫び、お帰りいただくことになる。もし、いくらかでも不適切な行為だと判断した場合は、ことの真実を話してお詫びし、必要に応じて賠償を行うこととする。

その際、事が大きければ大きいほど、主治医または実施当事者（看護師が多い）は、最初の説明とお詫びには誠意を尽くして対応するが、以降はできるだけ第三者的立場（医療安全担当者）の者が対応するようにした。当事者を外すにはいくつかの意味がある。それは、①当事者同士（医療側と患者側）はいくらか利害が対立しているため、感情的になりやすく解決しにくい、②当事者が関わると心労が強く、自分の仕事に集中できず、次の事故につながる可能性が出てくる。また、日常生活まで影響が出る、③基本的には悪意のない行為から発した事象である、④第三者が入る方が早く解決することが多いという事実がある、⑤本来、医療行為は患者と病院の契約で成り立ったものであり、個人の責任はないとはいえないが、患者に対する最終責任は病院にある、⑥経営的には当事者の負担を少なくすることにより、より前向きに働く環境ができる、などである。

12 院内売店の改革

一般的に病院の売店はどの病院もほとんど変わりなく、絆創膏、包帯、おむつ、タオル、寝間着などが常識的に置いてあり、なんとなく暗いイメージがある。私は、売店は病院のなかで非常に少ない楽しみ、癒しを与えるスペースであってほしいと考えた。当然、スペースはあまりないので、いかに有効に使用すべきかを考える必要がある。その観点から、赴任時に売店のマネージャーに「売店はおむつや包帯があるのは当たり前だ。だからそのようなものはできるだけ倉庫に入れて、要求があったときだけ出してくれ。その空いたスペースを利用してヴィトンのハンドバッグを置いてくれないか」と言った。さすがにヴィトンは置けなかったものの、洒落たハンドバッグを置いたら驚くほどよく売れた。次にぬいぐるみを置くともっとよく売れた。マネージャーも嬉しくなって私の指示に従い、明るい色のタオル、寝間着、財布など気の利いた小物などを置くようになり、ますますよく売れるようになった。私にとっては、水族館の売店が病院の理想とすべき売店である。すなわち、子どもが楽しめ

楽しい売店

る売店こそが病院にあるべき売店の姿であると思っており、できるだけそれに近い状況をつくってもらった。

また、売店の食料品は職員、患者の福利厚生のためにあるものだ。決して病院がそれで収益を上げることを求めるものではない。ある病院の経営者に、売店について「○○コンビニを入れるとそこから入る収益の病院への還元率が非常によい、ぜひやられたら」と言われた。私は根本的にこの考えには反対だった。病院の患者から得られる収益は単位の違うものだ。病院の収益は患者から正当に得ればよい。そのため、あくまでも売店は福利厚生のためと割り切り、使用料をできるだけ安価にして、その代わり、もし利益が出るなら職員と患者に還元すべきであると思う。

結果的には、私たちの売店の飲料はコンビニ価格ではなくスーパー価格になっている。デパートでしか販売していないとても美味しいパン（ポンパドール）が院内に入った。わざわざパンを買うために病院に来る人もいるくらいだ。これこそが、病院の売店のあるべき姿だと思っている。

13　禁煙対策

どの病院も禁煙にすべきとの考えはあると思うが、敷地内禁煙にするか建物内禁煙にするかは迷われていると思う。今の世の流れから考えて、病院のような健康を守る場所は当然敷地内禁煙にすべきであると思う。私も赴任時に即座に決断し、敷地内禁煙にした。

しかし、想像した通り、その実行はたやすくはなかった。6年経ってさすがに建物内喫煙はなくなったが、広い敷地内のあちこちで喫煙が続いていた。そこで、①入院時にパンフレットに「本院は敷地内全面禁煙です。もし、規則に反する行為があった場合、強制的に退院していただく場合があります」と明記、②院内禁煙パトロールを置く、③禁煙外来受診を勧める、④喫煙を見たらできるだけ直接注意する、ことにした。

直接注意をするとトラブルになり、善意で注意をした人に、結果的につらい思いをさせることになった場合もあり、一筋縄ではいかなかった。禁煙パトロールは3名1組で1日2回、黄色い大きなタスキをかけて、院内を巡回した。基本は黙々とモクを拾い、喫煙者の良心に訴えることだが、平均在院日数が13日で、教育する間もない現状ではやはり完全禁煙は難しい状態だった。

院内禁煙パトロール

14　医師集め対策

世の中、医師不足が叫ばれている。確かに一時より地方から医師が消え、都市に向かったため、以前に比べ特定の地域には医師が不足しているのは間違いない。本院で見ると、研修医も含めると、赴任当初に比べて、医師数は6年間で概略倍近くになった。しかし、在院日数の減少、患者の回転率の速さから考えると、過剰に抱えているわけではない。以前は大学の医局の指示で、否応なしに地方で勤務させられていた若い医師が、研修のできる大病院に集中したのは間違いない。しかし、冷静に見ると、これは患者対医師数の再配分であり、都市部の大病院でやる医療、地域でやる医療の機能分けを明確にしている面もある。それぞれの点を充分に理解し、自院が生きていくためのあるべき姿を求めるべきだと思う。

まず、医師が欲しいと思ったとき、多くの経営者は従来通り大学の医局に行く。それで医師が確保できれば問題はない。しかし、ほとんどの医局には外に出す医師がいないので、対応不能だ。特に内科・外科などいわゆる昔から大医局といわれたところには医師がいない。背景には、2004年（平成16年）4月から始まった新臨床研修医制度のもと、内科や外科などは大学病院以外の研修病院でも十分な臨床教育ができる態勢が整ったことがある。以前は、大学の医局に入局すれば、関連病院という大きな病院で研修ができることが理由のひとつだった。しかし、現在では、ほとんどの大病院は自院で育てた医師を優先して採用するので、医局に入局しても大きな病院に入る余地は少なく、そのためさらに入局者が減ってきている。

これを憂い、大学病院関係者が主となり、研修医制度がいくらか変更された。しかし、一度個人に選択の自由を与えられた若い医師が、教授、医局長の意思で思うように動かされるのを好むわけがない。この制度の適否は別にして、もう以前の医局制度に戻ることは不可能なのだ。このことをすべての医療従事者がしっかりと受け止め、日本の医療制度のあるべき姿、若い医師の教育のあるべき姿を真剣に考えるべきなのである。

さて、本論に返って、大学に行っても医師の確保ができないときはどうするかだが、基本的には、完成された医師の確保が最も高くつくことが理解できる。もしお金に糸目をつけないのなら、お金を出せばいくらかの医師は確保可能だろう。しかし、それより長期的に考えて、研修医の確保に全力を尽くす方がより効果的だ。さらにいえば、学生を取り込むのがよいと思う。そのためには身体を使って本気で研修医・学生の教育をすることが必要だ。そのために私の在任中に西病棟の建設を決定・着工した。その1フロア全体を若い医師・看護師・学生の教育、研修をするフロアにした。その中には、採血から内視鏡まで365日研修ができるセンターのみならず、広大な広さの模擬ホスピタルを備えている。そこでは学生が数十人単位で来てもしっかりとした研修ができ、それを別室モニターで監視・評価できるシステムもつくった。先行投資も重要な要素と思う。

①小規模病院の医師集め対策の例

私の知る限り、小病院においてもさまざまな手法で医師集めに成功している病院が多くある。

A病院：院長が非常に社交的で、さまざまな場所に情報網を巡らせ、よい医師でありながら病院で働きにくい状況にある医師を集めている。

B病院：地域医療に徹し、その意思のある若い医師を大勢集めて教育をしている。

C病院：大病院（大学病院）で退官の近い医師に焦点を当て、多くの優秀な医師を集めている。その医師を慕って若い医師も集まる。

D病院：女性の医師が全医師の半数を占める時期もそう遠くない。これを見込んで女性の働きやすさを全面に出し、医師集めを行っている。

以下、私自身が歩んだ道で、結果的に医師集めに貢献できたことについて述べてみる。

②学生への対応

私は前任の川崎医科大学で教鞭を執っていた。私が小児外科の初代の教授だったため、小児外科についてほとんど知識がないだけでなく、認識もされていなかった。そのなかで、いかに小児外科を認識してもらうかを考え、真剣に学生教育に取り組んだ。

実際には5年生で1週間の実習時、その1日の夕方をカンファレンスに当てた。このカンファレンスは夕方6時から始めて12時頃まで続くものだった。5、6時間、医局員全員で学生と時間を共有した。また、自分が手術をするときの学生指導は当然だが、自分が手術をしないときも手術室に入り、学生の指導を行った。幸いにして、小児外科が認知され、年間2名程度が小児外科を専攻するようになった。今では中国・四国では最も多い小児外科グループとして動いている。それは大学教育というチャンスがあったからできたことと思われるのは当然だ。しかし、どこにでも学生に接するチャンスはある。どの病院でも必要に迫られれば、学生のスモールグループ教育はできるはずだ。当然ながら相当のエネルギーを要するが、先行投資だ。その病院の持つ機能をいかに有効に使うかが重要である。

③初期研修医への対応

本院では研修医の確保には本気で取り組んだ。その基本は、①教育・研修内容の充実のために病院全体で取り組む、②応募者数に左右されることなく、病院のキャパシティーを考え、研修できる人数のみを採用する、③原則的には研修以外の雑用には使わない、④「医師である前に心豊かな人間であれ」の人間教育を組み込む、⑤医師として必要な患者最優先の姿勢を指導する、⑥1年に最低1編の論文発表を義務づける、などである。現実には2009年（平成21年）には中国四国地方では研修希望者が最も多い病院になった。

④医師への対応、関連病院としての対応

医師集めにはいろいろな方法がある。例えば、大きな病院チェーンである徳州会病院の多くは、どこの大学の医局にも属していない医師も多く働いている。亀田病院のように全国で有名になれば、自ずとよい医師が自ら集まってくる。本院は、古くから岡山大学の中心的な関連病院のひとつだった。関連病院制度の是非はあるにしても、私は大学の発展に不可欠な制度だと思っている。

過去の経緯もあり、当然、医師集めのほとんどは大学医局（教授）との折衝から始まった。その基本姿勢は、大学と大きな関連病院はあらゆる面で対等であり、専門分野はいくらか異なるにしても、お互いが切磋琢磨して医療レベルの向上に努めなければならない。その意味で、医師供給源である大学は有能な医師を提供し、それを受けた病院は働きやすい環境をつくり、より優れた医師に育て上げなければならない。それによって、臨床レベルとして、大きな関連病院が大学を超えれば、そのような素晴らしい関連病院を持った大学として、より価値が上がることになる。日本でそれを見事に行っているのが、倉敷中央病院、神戸中央病院などを関連病院として機能している京都大学だと思う。いずれにしても、その姿勢で大学との交渉に臨んだ。

⑤A外科との交渉

私が赴任した当時、本院にはA外科は存在したが、手術可能な術者が不在で、手術はすべて大学からの派遣医師によって行われていた。そのため、内科系の医師が手術適応と考えたとき、その症例を大学で提示し、教授の意思に従って手術を決定してもらわざるを得なかった。当然、大学にも手術予定があり、緊急手術のみならず、定例手術さえもその対応には困難を生じ、教授の意向に添って土曜、日曜のとんでもない時間に指定されての手術なども珍しくなかった。当然患者への説明にも困難を生じ、綱渡り的診療が行われていた。

解決方法は、手術のできる有能な医師の供給を受けることだった。ある市内のホテルで当事者の教授とふたりでゆっくり面談をした。その教授は、「先生の言うことは分かる。だが先生の病院に有能な医師を置くには症例が少なすぎる。それでは教育・研修にもなりません」と言われた。私は、「決まった術者がいないのだから、症例を増やすことは不可能です」と主張した。結局、「大学の協力態勢を強化し、できるだけ手術がスムースにいくようにし、症例が増やせる態勢をつくる」ことを約束し、1年待つこととした。

1年後、手術も順調に行われるようになり、約束通り有能な医師の派遣が決まった。その後は順調に症例数も増え、大学からの研修も受け入れている。

⑥Ｂ科の場合

私が外来をしている最中、Ｂ科の教授から突然電話がかかった。「先生のところの医長を近々大学の医局に帰すからよろしく」ということだった。後任の話が未定で、とにかくその指示に従え、というものだった。私は呆れてしまった。教授職をなんだと思っているのか、多くの患者を抱えて診療している医長を、相談もなく、突然帰すとは何事だと思った。

「分かりました。もし、それを強行するのなら、私にも覚悟があります。Ｂ科の先輩後輩を巻き込んだ病院との全面戦争になってもよいのですね。その覚悟がありますか」と言って電話を切った。数日後、教授は私に面談を求めてきた。医局内部の医師の状況、移動の意味などの説明があった。移動時期への考慮と、しかるべき医師の派遣の約束を取りつけ、円満に解決することができた。悪気があるとは思えないが、教授というポジションを誤解しているように思われた。彼とはその後は良好な関係を保っている。

⑦Ｃ科の場合

現在のように医局に医師が少ない場合、各関連病院に対して、大学が考える医師数と病院が考える医師数に相違がある場合は少なくない。この場合は、当然病院と大学は対立する。私は大学全体の大義から医師を動かすなら、あえて反対はしない。しかし、大学の大義ではなく、実際は医局の大義、あるいは教授の大義で医師の移動が決まることがしばしばある。一般の人から見て顰蹙を買うような、どこどこの病院から、X科の医師が全員引き揚げ、その病院は途方にくれている状況を目の当たりにすることがある。事情にもよるが、安易に許されることではない。

ある時、C科の医長から、「教授から医師の移動を指示されたが、本人は移動したくなく、本院で働きたいと言っている。私も、補充の約束もなくその医師を取られると非常に困る」との相談を受けた。C科は、過去に教室（教授？）の意向である病院からすべての医師を他の病院へ移した実績のある科だ。ここでその意向に添って行動すると、いつ医師を引き揚げられるかわからない。もしそうならなくても常に教授の顔色を窺いながら病院経営をしなければならない。大変なことになると考えた。

まず、医長に医師派遣に関して大学と切れても構わないかを確認した。医長はその意向を示した。次いで、2名の医員と医長同席の上で、大学と切れても本当に本院で働きたい意思があるかどうかを確認した。全員がぜひここで働きたい旨を宣言してくれた。そこで、今後、大学からの圧力のすべてを私が責任を持って受け、C科の医師を守ることを約束した。その後教授と話をして了解を得た。

以後、C科のすべての医師を自ら調達しているが、幸いにして当時の3倍近くの医師が気持ちよく働いてくれている。その後もその教授とは友好関係を保っている。

⑧その他の科への対応

岡山大学と全く問題なくうまくいっている科がほとんどだが、経営母体が異なる病院である限りいくらかの問題が生じるのは当たり前だ。本院としては、全国レベルで研修医の受け入れを行っているが、医局の要望に配慮し、優先枠を設けている科が多いのが実情だ。いずれにしても、関連病院である限りは、大学の大義には協力すべきであると思うが、これらの問題は医局・教授本人の大義とは明確に区別されなければならないと思う。腹を割って話をすれば、道は開けると考えている。

15　外来患者の減少が医師の支持を集める

医師を集めるために病院経営者が行うべきことは、医師が働きやすい病院をつくることだ。その条件を医師に聞いた結果、①プライドがもてる病院、②家族が安心してかかれる病院、③人間関係がよく楽しく働ける病院、④医療の質の高い病院、⑤研修ができる病院、⑥指導医態勢がしっかりした病院、⑦研修医の多い病院、⑧留学しやすい病院、⑨学会に自由に行ける病院、⑩外来をしなくていい病院、⑪病院がきれいで医療機器の備わった病院、⑫給料のよい病院、⑬職員が充実している病院、⑭アメニティーのしっかりした病院、⑮職員宿舎のある病院、⑯女性の働きやすい病院、⑰子育てをしながら働ける病院、⑱世間に人気のある病院、の順だった。

ここで注目したいのは、⑩外来をしなくていい病院だ。病院の機能分化や医師の専門化が進むなか、医師の多くは、外来は新患と専門分野のフォローアップのみで、入院医療を中心にした診療態勢を好む傾向がある。その希望に添うことも、医師が働きやすい病院としての重要な要素だ。

私は経営の方向性として、各専門分野の充実に力を入れてきた。そのために、各科のスタッフを充実させること、一般外来患者数を少なくすることに努めてきた。

実際には、すべての標榜科の医師を２人以上とした（歯科は除く）。結果的には６年間で全医師数がほぼ倍増した。一方、外来患者に関しては、可能な限り紹介新患のみとし、再来の患者は地域の病院に紹介する方針をとった。

医療収益から考えると、この方向性は決して有利な方法ではない。短期的に収益を上げるには、外来患者を増やすことが得策だからだ。

当時、１日患者１人当たりの収益は、入院７０００点、外来１４００点で、単純に計算すると、入院患者１人と、外来患者４、５人が同じ収益になる。人件費などを考慮すると、収益増加は外来患者を増やす方が容易だ。

事実、一般的な急性期の大規模病院の入院収益／外来収益は70／30前後であるが、当院は入院収益／外来収益が83／17と極端に入院に偏っている。収益に関しては不利かもしれないが、医師のモチベーションを高めることにはつながっていると自負している。

もちろん、病院の方向性を決めるに当たっては、患者がよい病院の条件として挙げる、①救急態勢のよい病院、②待ち時間の少ない病院、③待ち時間の接遇のよい病院、④医師がやさしい病院、⑤看護師のやさしい病院なども考慮する必要がある。すべてを満たすのは難しいため、自院の置かれた状況に鑑みながら、医師と患者が求める条件をマッチさせるとともに、取捨選択することが重要だ。

Ⅱ　６年間の歩みおよび結果

１　就任初年度（平成16年）

①開院記念式典

就任当初、職員の意識改革は私の大きなテーマのひとつだった。そのためには「病院も変わる、変わった」ことを認識することも重要であると考えた。そこで、２００４年

開院記念式典

（平成16年）4月1日に本院が新たに国立病院から独立行政法人国立病院機構になった日を記念して、「開院記念日」とすることにした。この開院記念日に式典を行い、長期勤務者の表彰、病院への貢献度の高い人への院長賞の授与、外部講師による記念講演、職員全員参加の院内大掃除などを行った。以後、開院記念日の式典は年間の定例行事になっている。

②個室料金を値上げと無菌室の改修

あまりお金をかけずに早急に収益を上げることはないかと考えた。当時、病院の施設の素晴らしさの割には個室料金が割安だった。そのため、すぐに近隣の同程度の規模の病院の個室料金を精査したが、本院は破格に安いことが判明した。ただ、一度に急に値上げするのもためらわれたため、それまであった小さな机と椅子を家族が休める折りたたみ式のソファベッドに交換し、かわいい備前焼の一輪挿しに生花を飾ることとして、個室料金を値上げした。約１００ある個室を３０００円程度値上げすることにより、年間1億円弱程度の増収が見込めた。実際に値上げ後は、個室利用は減少しないばかりか、個室を確保するのが難しい状態になった。

本院の血液内科は非常に優れており、特に骨髄腫はこの地方では1、2を争うほど多くの患者さんが入院していた。同時に数多くの骨髄移植を行っている病院なのだ。そして、5床対応の非常に立派な無菌室もあった。しかし、多くの患者さんには個室または二人部屋使用で、無菌室で果たすべき役割を代用していた。そこで無菌室として対応できるよう、13室（18床）の改修を行った。これらの改造経費は数カ月で回収可能だった。これにより1年で約1億円程度の増収が見込めた。これらをうまく運用することにより、当時の収入増加には非常に有益だった。

③回転ドア廃止のＰＲ効果

一般的にある商店がはやる場合は、世間の風評は非常に重要な因子だ。私は病院でも同様なことがいえると思っている。私の就任当時、岡山医療センターは市街地からはずれた北の端にあり、立派な建物の割には認知度が低いと感じた。そこで、どのようにして一般の人たちに認知度を上げるかを考えていた。

ちょうど赴任して２週間が経ったとき、六本木ヒルズの回転ドア事件が起こった。子どもがドアに挟まれて死亡した事件だ。本院も、病院には不釣り合いな立派な回転ドアがあった。考慮の末、すぐに回転ドアを使用禁止にした。そして、２カ月後に回転ドアを撤去し、新しい二重構造のドアに変更した。そのために費用が２０００万円程度かかった。本当は国がムダなものをつくったわけだから、この費用は国が持ってくれるか、あるいは機構本部がカバーしてくれるのかと期待していたが、すべて本院の負担で行わざるを得なかった。

悪名高き回転ドア

回転ドア改変後

一般的に2000万円は高いと思う。しかし、よく考えてみると、この回転ドアの件に関してはずいぶん宣伝効果があった。「岡山医療センターには回転ドアがある。しかし、六本木ヒルズの事故のあと、すぐに止めた。少し経ったとき、まだ止めていた。さらに撤去した。そして、新しく二重ドアができた」など、新聞・テレビで合計10回以上報道された。この宣伝効果から、2000万円は決して高くないと考えた。

その後も、『岡山医療センター』という名称が悪くない事柄でマスコミに取り上げられるよう、努力をした。さらに、地域のケーブルテレビと契約し、岡山医療センターのナースの健康チェックコーナーを設け、2週間に1回の医療情報を提供した。全国放送としては、本院を中心とした60分以上のテレビ番組が2回、本院が関与したものが3回以上放映された（国際ボランティア・ジャパンハートと連推し、アジアの孤児を受け入れて行った手術が、「情熱大陸」（TBS系列）で3回にわたり全国放映された。ジャパンハート創設者・吉岡秀人医師は、1997年（平成9年）から2001年（平成13年）まで小児外科医として本院に勤務した）。

これらのPR活動により、今では医療界のみならず、一般の人たちにも、よい意味での風評を得るようになったと自負している。

院内発表会

④第１回院内発表会

病院の発展には医療の質を上げることが重要だ。医師の質は当然最も重要だが、看護師のみならず、コ・メディカル、事務職のレベルアップも重要だ。しかし、多くの病院ではこれらの職種の人々が一堂に会して臨床、研究発表する機会はほとんどない。本院も当初は医師のみ、看護師のみ等の職種別の発表や講演会はあるものの、発表会はなかった。そのため、院内発表会を企画した。朝９時から夕方４時まで、院内各部署から、職種を問わず発表する会だ。発表会は臨床研究部が主導し、バランスを考慮した。

また、休憩時間には皆がゆっくり懇談できるように、美味しいパンを準備した。

以後、院内発表会は定例行事になったが、各部署の前年度１年間の業績をパネル発表することを義務づけ、そのパネル発表をそのまま年報に載せるように工夫した。

⑤新聞３紙の医療関係記事を掲示

病院職員、特に医師が医療情勢を知ることは重要だ。しかし、多

院内発表会昼食用パン

院内発表会昼食

くの医師は直接自分に関係する分野はよく勉強するが、他科の分野の情報には疎い傾向がある。そのため、新聞3紙に掲載された主な医療記事を抽出し、毎日掲示することにした。畳一畳程度の掲示板を医局と図書室に準備し、記事は1週間程度で更新することにした。

⑥掲示物を美的に

外来者を迎えるにあたって、掲示物を整えることは重要な意味をもつ。そこで、掲示物をきれいに見せるために、すべてA4サイズに揃えて掲示するようにした。

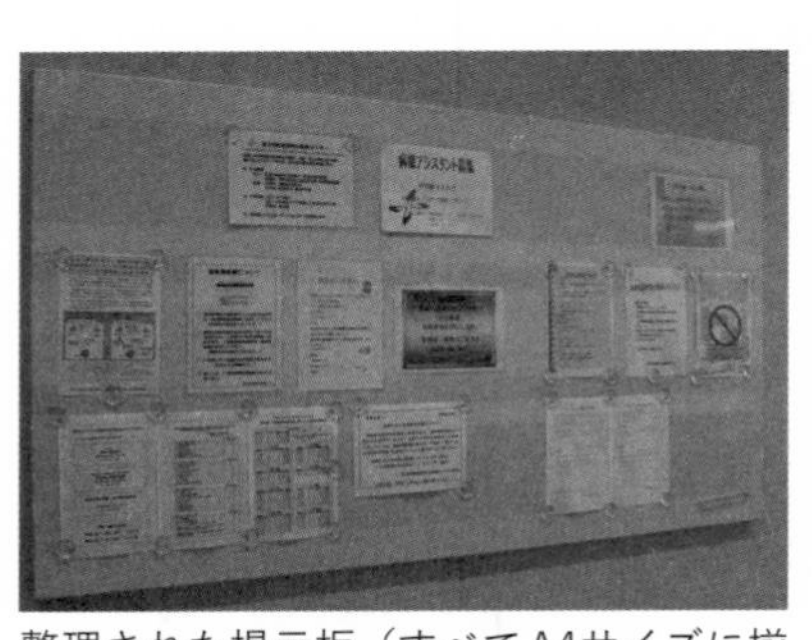

整理された掲示板（すべてA4サイズに揃えて掲示）

2 就任2年目（平成17年）

①宿泊研修

大人数の職員に院長の意思、方向性をどのようにして伝えるかを考えた。就任早々に各人に面談したが、これは主に職員の考えを聞くためのものであり、私の意見を言うものではなかった。そこで充分に時間をとって自分の考えを浸透させるには、寝食をともにするのがよいと考えた。

そこで職員の宿泊研修を企画した。まず最初の1回目の参加者は幹部職員、各部署の責任者を中心とした40名程度で行った。土曜日の昼から日曜日の昼までのほぼ24時間の研修だ。基本的には自己負担による自主参加とした。土曜日正午頃に集まって、1時頃からグループに分かれてテーマ毎の討議、夕方までにレポートにまとめて提出する。その後1時間半の休憩時間に、希望者は風呂を済ませ、夕食は一堂に会したパーティー形式とし、酒もオーケーだ。その後、各部屋に帰るなり談話室で会話するなりして、就寝。翌朝9時から3時間、各グループの発表後に討議。日曜日の昼頃の解散である。研修内容は以降も基本的には大きな変化はないが、研修対象者が、看護師（主に新人看護師）・研修医などに変化している。多くの場合、特に新人看護師は参加することを嫌って躊躇する向きもあるが、研修終了後のアンケートでは、ほぼ95％以上の参加者が、「参加してよかった」と評価している。この宿泊研修は私が退任するまで年間４～５回の

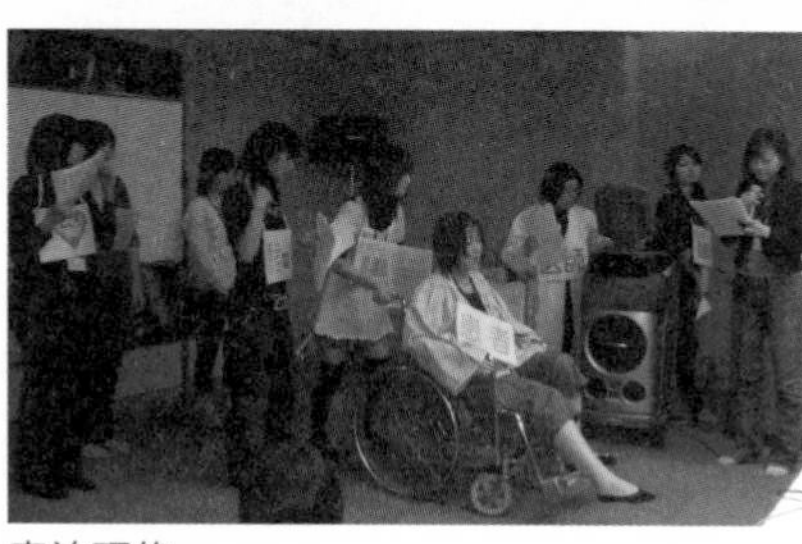

宿泊研修

ペースでずっと続けた。私はすべての研修に全時間参加したが、幹部職員は年1回の参加を義務づけた。私の退任後10年経った現在でも、継続されているようだ。

②NICUの増床（9床→15床）

NICU（新生児集中治療室）対象患者がいて、医師、看護師がいれば一般病棟よりNICUの方が経営上有利なことは間違いない。本院の新生児病床には増床するゆとりがあったため、問題なく増床した。その後、2010年（平成22年）には18床に増床した。

NICU増床

③MFICUの新設（6床）

MFICU（母体・胎児集中治療室）を新設するには、多くの問題点があった。周産期医療を考えるとき、種々の案件を考慮して、岡山県内では本院と倉敷中央病院に周産期総合センターを設けることで話がついていた。しかし、MFICUは食敷中央病院には開設されていたが、本院はその建物すらなかった。理由はともあれ、現実に整備ができていなかっただけでなく、産婦人科の医師も充分いなかった。しかしMFICU設立は本院産婦人科医師の悲願でもあった。

就任当時、産婦人科医師の意向を確認し、県との約束を果たすべきである、これが本院の生きる道につながると考え、早急にそのための行動を開始した。県に出向き、施設整備の遅れを詫び、早急に対応する旨を話し、実行に移した。病棟改築には７０００万円程度の経費を要したが、赴任後半年を経て収益も増加していたため、問題なく対応できた。

最も大きな問題は医師の確保だった。当時は常勤４名の態勢だったが、産婦人科医長の涙ぐましい努力と産婦人科医師の協力で、やっとの思いで対応できた。その後、８名の医師で対応するようになった。

④職員用談話室の改修と医療安全・感染管理室の改修・新設

３５０億円という巨大な借金で建てた病院だけあって、ムダな（余裕？）スペースがかなりあることが分かった。それらを探して、できるだけ必要なものに転換した。特に、最上階は非常に見晴らしのよい場所であり、建築当初は風呂をつくる予定だったそうだ。しかし、なぜか風呂はできず、コンピュータートレーニングの場所として使用されていた。その場所を改築して、職員が皆で集える多目的ホールとした。その結果、談話、小さな会合等、自由に使うことができる有意義な場所になった。

また、同じ最上階に20畳程度の部屋があり、常に窓を閉めた状態でコンピューターの部品を収める倉庫として使用されていた。この倉庫を改築して、医療安全・感染管理室とした。その後は、景色もよく快適に過ごせる部屋として、医療安全・感染管理のみならず、ＮＳＴ（栄養サポートチーム）、緩和ケアー等、病院機能上必要な人たちの溜まり場的な部屋となり、非常に有意義に運用されている。

　総経費は１０００万円程度である。

⑤小児病棟プレイルームの新設

　本院の小児用病床は１００床だった（新生児用50床、小児用50床）。小児病床が病院全体５８０床の約20％を占める特異な病院にもかかわらず、プレイルームがなかった。小児医療をする者にとってこれはあり得ないことだ。幸い、小児病棟と産婦人科病棟は同じ６階であり、その外側に大きなベランダがあった。このベランダ部分に30畳程度のプレイルームをつくった。壁、柱に童話画家の中山忍さんに絵をお願いし、楽しい遊びのスペ

病室にウルトラマンがやってきた

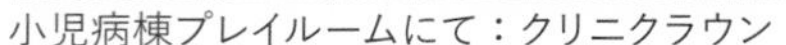

小児病棟プレイルームにて：クリニクラウン

小児病棟プレイルーム

プレイルーム前バラ園

ースになった。２０００万円程度かかったが、当然、加算がついてくるので、充分に収支はとれた。

⑥顧客面談室の新設（２室）

本院は病院幹部以外の医師はすべて大部屋であり、その部屋の片隅に面談できるスペースはあるものの、オープンスペースだった。そこで、個室の面談室が絶対に必要であると考え探したところ、医局のある階に窓の全くない10畳程度の倉庫があった。そこに仕切りをつけ、２つの個室面談室をつくった。当然、医師以外の職員も使用している。

⑦第１回夏祭り

職員が一堂に会するよい機会はないか考えた。そして、やはり日本人は祭りが好きだということで、夏祭りをしようと決断した。６月頃から準備に入り、８月に行い、病院の駐車場の一部を利用した。職員、職員家族、地域の人を対象にしたものであり、職員の多くが参加し、屋台あり、盆踊りありの催しになった。

以後、定例で行うことになり、年々盛んになっていった。どこからともなく地域、職員の多くの子どもたちが集まって来る楽しい祭りとなった。職員が持ち込んだバザー商品をくじ引きで渡したり、看護師長たちがつくるおにぎり、給食職員がつくるおでん、カレー、医師・看護師・事務職員などがつくる焼きそば・かき氷販売などに加え、玉すくい、輪投げなど楽しい催しを行ったりして場が盛り上がった。地域のボランティアの人たちに教わった師長連の盆踊りに参加するのも、楽しみのひとつだった。

⑧救急外来警備員室の設置

病院のセキュリティーをどのように保つかは大きな問題だ。病院にとって、安全性と利便性は相反するところが少なくなくない。事務職員で対応している病院が多く、私たちも例外ではなかった。ときにはモンスターペイシェントによって、事務職員が危険にさらされることもあった。

そのため、夜間入り口に警備員室を設置し、警備員を置くことにした。基本的には、

夏祭り

夏祭り：師長たちのおにぎりづくり

夏祭り：金魚すくい

夏祭り：近所の人たちが大勢参加

①夜間の出入り口は１カ所とし、それ以外はすべて施錠する、②夜間出入り口に、警備員を常駐する、③病院の数十カ所に監視カメラを置く、④警備員は定期的に病院内を巡回・監視するとともに、必要に応じてモンスターペイシェントの対応に立ち会うこととした。これにより、夜間対応の職員の負担がずいぶん軽減された。

⑨第１回全職員参加型忘年会

さらに、病院を盛り上げるために何をすべきかを考え、やはり忘年会かなと思った。多くの人たちが部署ごとに忘年会をやっている。私自身も４つほど忘年会に参加していた。それ以上に病院でやることは可能か？　皆が乗ってくるだろうか？　会費はどうする？　などの問題が頭をよぎった。

最初に考えたのは全職員参加型で、看護学校の体育館でとも思った。体育館は広くて多くが参加でき、経費が少なくて済み、本院から近いので時間を考えず多くの参加が期待できるなどのメリットが多い。しかし、世話係が大変で、後片づけも大変、仕事との区切りがつけにくいなどのデメリットもある。しかし、最大のデメリットは、酒が飲めないことだ。本院は岡山市内から少し離れており、ほとんどの人たちは車を利用して通勤している。もし忘年会を行って飲酒運転をすれば、それこそ大変なことになると考え、本院内でやることはあきらめた。

それなら、どこで行うか？　病院職員全員が参加しやすくするためには、参加費が安くなければならない。皆が利用しやすい利便性のよい所で、大きな会場でなければならない。最も利便性がよく、しかも大人数が入れる所は、岡山駅前のホテルしかないと思った。

次は参加費の問題だ。よく考えてみると、多くのホテルは、クリスマスが終わり、年末までの数日間が最も暇な時期で、これは交渉をすれば安くできる可能性があると考えた。そこで、岡山の一流ホテルと交渉の結果、格安の値段で、12月27日に第1回忘年会を行うことになった。この忘年会が成功するかどうかが、病院の浮沈に関わるくらいの気持ちで企画運営に参加した。

進行上重要なのは「出し物」だ。各部署から参加者を募り、10件程度の申し込みがあった。この出し物の内容が今後の方向性を左右すると考え、私自身、12月に入ってから、数十時間のトレーニングをしてタンゴを披露した。この忘年会は成功を収め、以後、だんだんと進化して本院の一大イベントとなり、全職員の約半数が出席する楽しい会として定着した。

忘年会

研修医の出しもの

事務連

３　就任３年目（平成18年）

①救急用エレベーターの新設

本院の建物は充分にお金をかけているが、必ずしもすべてが機能的ではない。前述の回転ドアもそうだった。すべての設計ができた後に、地下を充分深く掘ることができず、１階の予定であった外来がそのまま２階になったらしい。そのため、外来も救急室も２階にある。誰の責任でそのようになったかは明らかでないが、いずれにしろ、使用する側は非常に困る状態だった。

すなわち、１階の入り口から外来へ上がるのはエレベーターとエスカレーターを使用するしかない。このエレベーターもベッドが入らない狭いものだ。１階でベッドが必要な状況が生じたとき、いったん車に載せて２階に運ばなければならない大変な状況だった。そのため、２階に直接上がれる外づけのエレベーターを新設した。それにより、夜間の入り口がひとつになり、車で来院した人たちにはなくてはならない貴重なものとして運用されている。

②10対１看護態勢の確立：ＤＰＣの開始とＤＰＣ７対１加算の取得

本院は赴任当初15対１看護態勢であった。国立病院時代は国家公務員定員法で縛られており、いくら要求してもなかなか増員ができない状況であったからで、これでは病院はやっていけない。看護師の年休がほとんど取れない状況で、過酷ななかで医療をやれといっても無理であると考えた。特に、今後は病院が機能分けされる。そうすると、本院は急性期病院として位置づけられる。そのためには絶対に看護師を増やさなければならない。

この看護師数増員に関しては、機構本部から相当強い反対があった。しかし、私としては絶対に引いてはいけない事項だった。幸い、増やしたくても希望者がいない病院があるため、機構全体としては総定員が充足していない状況も有利に働いたが、それ以上に私の強引さを甘受するばかりでなく、全面協力をしていただいた当時の本部吉田学企画部長には感謝している。具体的には、２００３年（平成15年）は３０６名に対して29名増員、２００４年（平成16年）度は３３５名に対して63名増員（４月採用は１００名以上）、２００５年（平成17年）度は３９８名に対して87名増員（４月採用は１４０名）、２００６年（平成18年）度は４８５名に対して66名増員が可能となった。結果的には２００７年（平成19年）度は５５１名となり、７対１看護基準の取得が可能となった。

どの病院も、特に大きな急性期病院は看護師の離職には頭を悩まされていることと思う。本院も例外ではない。しかし、機構の中途採用はほとんど許されない。そのため、年度当初には、年間に離職する人数を含めて採用する必要がある。例えば２００４年（平成16年）度は１００名以上の採用、17年度は１４０名程度の採用をした。結果的には３、４名に１人が新人看護師という時代もあった。そのとき、さほど不満を言うことなく、指導的役割を果たしてくれた看護師には本当に感謝している。

上記の数字には、経営上非常に大きな意味が含まれている。16年の63名に加え、17年の87名の増員である。一般的に全国レベルでＤＰＣ（包括医療費支払い制度）が広がり、７対１看護が病院収益上非常に有利になる方向性が示された。大学病院を含めて全国の病院がこぞって、血眼になり看護師募集に走った時期だ。本院はそれを見込んで1年前に手を打っていたため、18年度は前年より少ない増員数で7対1看護基準の取得ができた。このほんの1年の先取りによって、数億円の相違が出たのだ。

③院内ＳＰＤの導入

医療機器、医療機材を安く購入することは当たり前のことだ。しかし、多くの公的病院は公的病院価格で買っている場合も少なくない。赴任当初は、業者の認識を変えてもらうため、高額機器の交渉はすべて私が自ら参加した。私が関係するからには、公的病院価格では無理ですよと、皆に分かってもらうことが目的だった。

しかし、あらゆる消耗品まで職員で管理することは難しいため、ＳＰＤ（Supply Processing & Distribution）を置く病院が多くある。これには大手企業による一括購入が導入されるため、導入当初は非常に効率的に見える。しかし、時間の経過とともに購入価格は企業にコントロールされ、しかも経費支出を伴う点で必ずしもよいわけではない。それと同時に職員が購入価格決定の手法と交渉能力を失う事となる。そのため、購入価格の決定はあくまでも私たちにあるという本院独特の院内ＳＰＤを導入・管理した。

④小児入院医療管理料１の取得と新小児入院医療管理料１の取得

小児医療に対する医療費の傾向は、人を充分に配置している場所に多く注入される傾向がある。言い換えれば、救急に対応した小児病院的医療を行っている場所に医療原資が注入されるのである。小児は成人に比し、点滴ひとつとっても手間がかかることを考えれば、当然の措置といえる。それらを考慮し、少し早めに小児医療に関係する医師を大幅に増員した。それに伴って必要とされる看護師の増員も行った。

小児医療に関する本院の施設基準の変更は、①看護基準を２・５：１から２：１に変更（２００５年（平成17年）７月１日）、②小児入院医療管理料１を取得（２００６年（平成18年）６月１日）、③ＤＰＣで７対１看護による点数の加算（２００７年（平成19年）６月１日）、④新小児入院医療管理料１を取得（２００８年（平成20年）６月10日）だ。医師を増やしたおかげで、本院のような一般病院では珍しく、これらの基準に対応することができた。

これらを小児科、小児外科に分けて日当点を比較してみた。小児科は２００５年（平成17年）には４７９３点だったものが、２００９年（平成21年）には６５１８点に増加した（増加率36

%）。小児外科においては、2005年（平成17年）に6606点だったが、2009年（平成21年）には9955点に増加した（増加率51%）。小児医療全体として、この施設基準変更の前後6カ月間の日当点を比較してみると、①の前後でほぼ10%の増加、②の前後でほぼ24%の増加、③の前後でほぼ8%の増加、④の前後でほぼ7%の増加で、全体として5年間でほぼ50%の増加だった。いかに上位基準の取得が重要であるかが明白な数字だ。

⑤金曜朝市の開始

新しい地に病院が移転するとき、必ずしも地域の住民が皆満足するわけではない。特に本院は、入院を要するような場合は対応できても、地域の人たちの日々の通院を受け入れるわけでもない。交通量が増えて排ガスも増える、夜も遅くまで電気がついていてにぎやかすぎる、など不満要素となるべきことをたくさん含んでいる。本院も例外ではなかった。ボランティアとしては協力してもらっていたが、ギスギスした点がないわけではなかった。

その解決策のひとつとして夏祭りを考えたが、充分ではなかった。

金曜朝市

そこで、病院で朝市を開くことを計画した。この地域はモモ、ブドウの産地だ。また、ナス、キュウリなど多くの野菜が栽培されている。これを病院の敷地で売ってもらってはどうかと考え、地域の代表者と話をした。その結果、大変喜ばれてぜひやりたいということになった。

朝市は病院の外来入り口のすぐ横の一等地で始めた。一般の店より安く新鮮なこともあり、大変好評で、あっという間に売り切れてしまった。職員も患者も楽しみである朝市によって、病院は地域にいくらか貢献することになり、地域住民との親密度を増すことができた。地域の人たちの夏祭りへの参加、病院でのボランティア活動、秋祭り（後述）への参加、そしてこの朝市などによって、地域の人たちと本院の関係が大いに深まっていった。

4　就任4年目（平成19年）

①CT室の改修と64列CTの設置、血管造影装置（2門撮影）の増設、MIR（1・5T）の設置

赴任後ほぼ3年間は4列CTで運営していた。当然、高度の器械は欲しかったのだが、経営面から考えると投資ができる状態ではなかった。しかし、ありがたいことに、この頃から借金返済の目処がつき、大型器械の購入が可能となった。それにより、心臓カテーテル用の血管造影装置、1・5TMIRなどの購入が可能となった。64列CT、1・5TMIRを入れること

により、これらの部門の診療態勢は飛躍的に進んだ。

②病院機能評価バージョンⅤ受審の合格

病院機能評価受審の時期が迫ってきた。私自身は前回受けたとき不在だったこともあり、大変だったという話は聞いていたが、特別な関心はなかった。本当に受ける意味があるのかとさえ思ったくらいだ。しかし、日本の現状を考えるとき、受けざるを得ないだろうくらいには思っていた。今ひとつ乗り気のない状態で、一度聞いてみようと、東京で開催された機能評価受審についてのセミナーを聞きに行った。そのとき、この機構は日本では最初の民間すなわち国が関与しない、自らを評価するための機構であり、そのためにぜひ参加して機構の維持・向上に協力してほしい、旨の話を聞いた。それで、やるなら本気でやろうと思うようになった。

そのため、病院機能評価バージョンⅤを受けることが、私にとっては楽しくなった。講師を招いたり、皆で工夫したり、いろいろなことをやりながら、無事に合格することができた。

結果的には、合格を得ることよりも、①よい病院とはいかなるものかを考える機会を持てる、②受験に至るまで皆が協力して病院のことを考え、悪い面を変える努力をするなど、役に立つことが多くあった。機能評価は評価のためにあるのではなく、よい医療を行える病院にするためにある、という基本に立ち返って、それ以後、毎年２月（機能評価を受けた月）を機能評価月間として本院独自に再評価にたえうるような態勢づくりを行った。

③看護学生数の増員と看護学校の増築

2007年（平成19年）4月10日、第9期生134名の新入生を迎えた。新たに増築した校舎に新入生を迎えられたことは感慨深いものだ。しかし、そこに至るまでには3年の長い年月を要した。2004年（平成16年）3月、学校長（院長）に就任当日、本部で理事長、副理事長にお会いし、本機構における看護学校のあり方について話をする機会を得た。その時点で、「看護師需給の見通しと本校の運営を考えると、定員増が不可欠である」とお話しした。しかし、機構の考えは、「学校数・学生数の削減は、独法発足時における既決事項であり、公務員削減の必要性から考えても非採算部門である看護学校は、閉校はあっても新設、増員はあり得ない」というものだった。定員増を主張するなら、その学校運営に関するビジョンを示すよう要求された。

看護学校に対する私の考えの基本は、「本機構は看護学校を維持しなければならない」という原則の上に立っている。すなわち、看護師不足が深刻である現状において、全国146の病院を抱える巨大な本機構が、経営上の困難を理由に看護学校を維持しないことは社会的に許されないことなのだ。機構が学校を運営するためには3つの方法が考えられる。①完全に機構本部

岡山医療センター附属岡山看護学校

が運営する。②完全に各病院に運営を任せる。③その中間として、本部・病院が経費を負担する。①とするならば、卒業生の機構への採用は一括採用が大原則となり、勤務先は機構での決定となる。看護師求人難の時代にこれを強いれば、多くの学生の機構外病院への流出は免れない。そのため、機構一括採用は現実には不可能だ。③はほぼ現状に近い状況だ。看護学校の運営資金の多くは本部からの助成金によって成り立っている。しかし、機構１４６病院のなかで看護学校があるのは71校であり、さらに２００９年（平成21年）には24校が閉校されることが決定されていた。つまり、学校を持たない病院からの拠出金の一部が、学校を持った病院に投入されて学校が維持されているのだ。この状況が永久に続くはずはない。

以上を考慮すると、今後の方向性としては②、すなわち完全に各病院が独立して学校を運営する道しかあり得ない。一方わが国の看護師の需給見通しでは、年間３万～４万人が不足し、最近の看護態勢強化の方向性を考慮すると、需要はさらに拡大することが予測される。この看護師不足を見通して、充分な実習施設を持たない私立大学が、収益性を求めて看護学部を新設する傾向がある。私立大学の授業料は高く、卒業までの４年間で６００万円以上の授業料が必要となる。私立専門学校でも３年間で３００万円程度の学費を必要とする学校は少なくない。これを許せば看護教育自体の将来が危ぶまれる。このような状況で１４６の病院を抱える巨大な本機構は、看護師の需要が多く、相応の看護師を養成するのは責務だ。それと同時に、妥当な授業料で教育をすることが求められる。然るに現状の本院附属看護学校は１学年80名（３学年

240名）に対し教師12名（常勤9非常勤3）という非常に少ない教師数で運営されていた。教師を増やさなければ良い教育は難しいことは明らかだった。しかし経営上の観点から増員は認められず、現実問題として授業料の大幅値上げは不可能だ。いろいろ考えた結果、今後の看護師の要望が強まることは必須であり、それを考慮すると看護学生の増員が最もよい方策であるとの結論に至った。

当時、機構は国家公務員総定員法の縛りもあって、職員を減らし、全国の看護学校を減らす方向性を打ち出していた。この考えとは正反対の方向性であったため、本部のかなり強い抵抗を受けた。結論的には、かなり強引に本部を説得し、1学年80名から120名に学生数を変更した。2010年（平成22年）に初めて120名の卒業生を出したが、その時点での常勤教師は専任実習指導者を含めて23名となり、教育の充実のみならず、機構内では稀な黒字経営の学校となった。これは経営の安定ばかりでなく、看護師不足の時代に、本院のみならず、他の機構内の病院にも多くが就職し、機構に少しでも貢献できたことを嬉しく思う。なお、2011年（平成23年）度からさらに定員20名の助産師学校を併設することとなった。助産師学校は法外な授業料を徴収しなければ黒字運営は無理だ。看護学校運営の収益の一部を投入して、本院および本機構の社会的責任を果たすため、および本学校の質を上げるために併設を決断した。

④ドトールコーヒーの開店

念願のドトールコーヒーが病院の玄関に開店した。実は赴任当初、病院内に憩いの場所をつくってほしいとの要望があり、ドトールコーヒー側と交渉したが、こちらが店舗開店資金を出すと言っても実現に至らなかった。しかし、今回はドトールコーヒーの方からの依頼だった。しかも開店資金は会社持ちだ。もちろん内心は嬉しく思いながらも、鷹揚に構えて優位に交渉を進めた。病院も患者も会社もウィンウィンの関係だ。３年の経過で患者数・職員数の増加を含めた病院の勢いの違いによって、このように事情が違ってくるのかと、よい勉強になった。やはりこれが市場経済だと実感した。

⑤産科病棟デイルームの新設、障がい者用駐車場の新設、障がい者用屋外トイレの新設

小児用プレイルームをつくったら、当然産科病棟にも子どもを連れて来て遊ばせる場所が欲しくなる。幸いにも、産科病棟も小児科病棟と同様に大きなベランダのある階なので、ほぼ同様の規模のデイルームを新築した。１５００万円程度はかかった。障がい者用駐車場、トイレは需要があったため新設した。

⑥看護学校用車、看護学校用バス、地域連携室用車の購入

看護学校の学外実習において、教師は自分の車で行くことを強いられていた。ガソリン代も

自分持ちという状況だった。もし、事故が起きたときどのように対応するかの規約もなかった。恥ずかしいことながら、学校長である私は一部の職員に指摘されるまで、それを認識していなかった。気が付くのに3年を要した。早急に車を2台購入し、当然ガソリンも病院持ちで、事故の対応もできるようにした。学校の教師たちは、学校は赤字だと思っていたため、学校専用の車を買うことなどできないと一切要求をしていなかった。本当にできた教師たちだと頭が下がった。また、学生が遠距離の実習施設に行くためのバスも購入した。バスの運転は外部委託して運用することとした。同様の理由で地域連携室専用の車も1台購入した。

⑦地域医療支援病院の認定

病院経営を考えるとき、収益を上げるためには上位基準の取得は絶対必要条件だ。特に紹介率、逆紹介率を重視した地域医療支援病院の認定を受けることは、非常に重要な要素だ。これの取得の有無によりＤＰＣポイントではほぼ3％の相違が生じる。その基準には、①紹介率80％以上、②紹介率60％以上、逆紹介率30％以上、③紹介率40％以上、逆紹介率60％のいずれかを取得することが義務づけられていた。２００５年（平成17年）の暮れにこれを取得することを決断した。その当時、本院の紹介率は45％、逆紹介率は40％だった。岡山地方は全体的にどの病院も紹介率は低く、あまり紹介をするという風習がないのが現実だった。

すぐに紹介率を上げることは難しい。しかし逆紹介は医師の意思でやることができると判断し、全医師に逆紹介をするように強く要望した。結果的には、２００５年（平成17年）の平均40％の逆紹介率が、２００６年（平成18年）１月に39％、２月50％、３月63％、４月63％、以後はすべて60％以上となった。決断して３カ月で目標が到達できたのだ。１年の実績が必要なため、２００７年（平成19年）に申請して10月からの認定となった。病院経営上最も重要なことは、ひとつの目標に向かって一致団結して医師が動くことだ。

⑧第１回病院フェスタの開催

本院の理念のひとつは、「地域の人にやさしい病院をめざす」である。地域の人たちとは、夏祭り、朝市などでかなり良好な関係が保てるようになった。しかし、さらにもう少し広範囲の地域との関係を深める策を検討し、病院を地域の子どもたちに開放しようと考えた。これが病院フェスタ（秋祭り）の始まりだ。「病院を見せよう、病院で遊ぼう」をコンセプトにした。病院でやっていることをできるだけ皆に見てもらって病院を理解してもらう。そのために、手術室の見学、単純な手術の指導（縫合や結紮）、患者体験、各科の診療のパネル展示、種々の顕微鏡検査実習、メタボ予防教育、救急蘇生実習、院長・看護部長の体験などを計画し、対象年齢は中学生程度として、できるだけ分かりやすく、参加しやすくした。また、「病院で遊ぼう」は、職員による焼きそば、おでん、カレー、砂糖菓子、フランクフルトが並ぶ屋台、地域の人たちが地産の野菜などを並べる売店などが、病院の広い駐車場を使用して行われた。

手術室見学

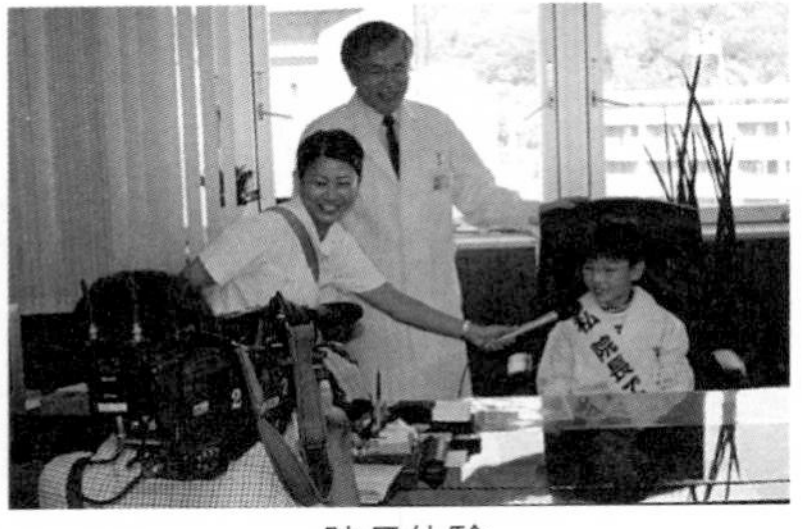
院長体験

【病院フェスタ】

救急蘇生トレーニング

腹腔鏡手術トレーニング

第1回はプロバレーボールの岡山シーガルズを招いて、岡山大学医学部や本院看護学校のバレーチームとの試合、岡山放送からOH！くん（おーくん）が来院してOH！くん体操なども盛り込んだ。500名の職員がボランティアとして参加し、2000名の参加者があった。

この病院フェスタは、以降も年間行事として本院の名物となった。機構内の病院だけでなく、他の地域の病院からも多くの見学者が来られ、同様な催しが各地で行われるようになったことは、嬉しい限りだ。病院が、あるいは病院で行っていることが、多くの人に正しく伝わることができれば幸いである。

実は、個人的にはこの病院フェスタにはもうひとつの大きな意味があった。それは、職員の家族への償いだ。多くの職員の家族は、特に医師の子どもたちは、なんで父さんは（母さんは）「そんなにいつも病院にいるの？」、「どうして病院はそんなに忙しいの？」、「どうして夜に呼び出されて出て行かなければならないの？」、「どうして約束をいつも破るの？」と思っているに違いない。また、看護師の子どもたちは、「なんで夜出て行かなければならないの？」、「なんで夜寝るときに一緒にいないの？」と思っているに違いない。少なくとも、この子たちに病院の仕事を理解してもらい、お父さんお母さんは患者さんの命を守るために働いているのだと思ってもらえればよい、という希望が含まれているのである。

病院フェスタ（広報）

⑨救急車の購入

本院の救急車は購入以来10年以上経過しており、そろそろ新車購入をと考えていたが、運転手に聞くと、「先生、まだ大丈夫。よく走りますよ」とのことであり、購入を控えていた。そのようなかで、事故が起こった。高速道路から出てすぐの信号で軽乗用車と衝突する事故だった。幸い人身事故としては軽度だったが、救急車の破損は大きく、いくら急いでも修復には2カ月かかるということだった。

その間、患者の搬送には多大な不便が生じた。救急搬送の多い600床の救急病院における危機管理の甘さを指摘された思いがした。ありがたいことに資金的には余裕があったので、至急救急車を購入することにした。この件を通して、病院の社会的責任を果たす意味を思い知らされた。

5　就任5年目（平成20年）

①スキルアップ・ラボの設置

病院の経営状況が順調にいき、年間20億円程度の借金の返済の目処がついてきた。さらに経営を安定させるためには、いかに病院の質を上げるかだ。その基本のひとつが教育だと考え、病院に独立したかたちの教育研修部を設置した。そして、その一環としてスキルアップ・ラボを設置した。

これには、日常診療に役立つためにトレーニングが可能なように多くのものを置き、職員なら24時間365日、いつでも入って利用できる態勢をつくった。そこには、採血練習器具、導尿練習器具、気

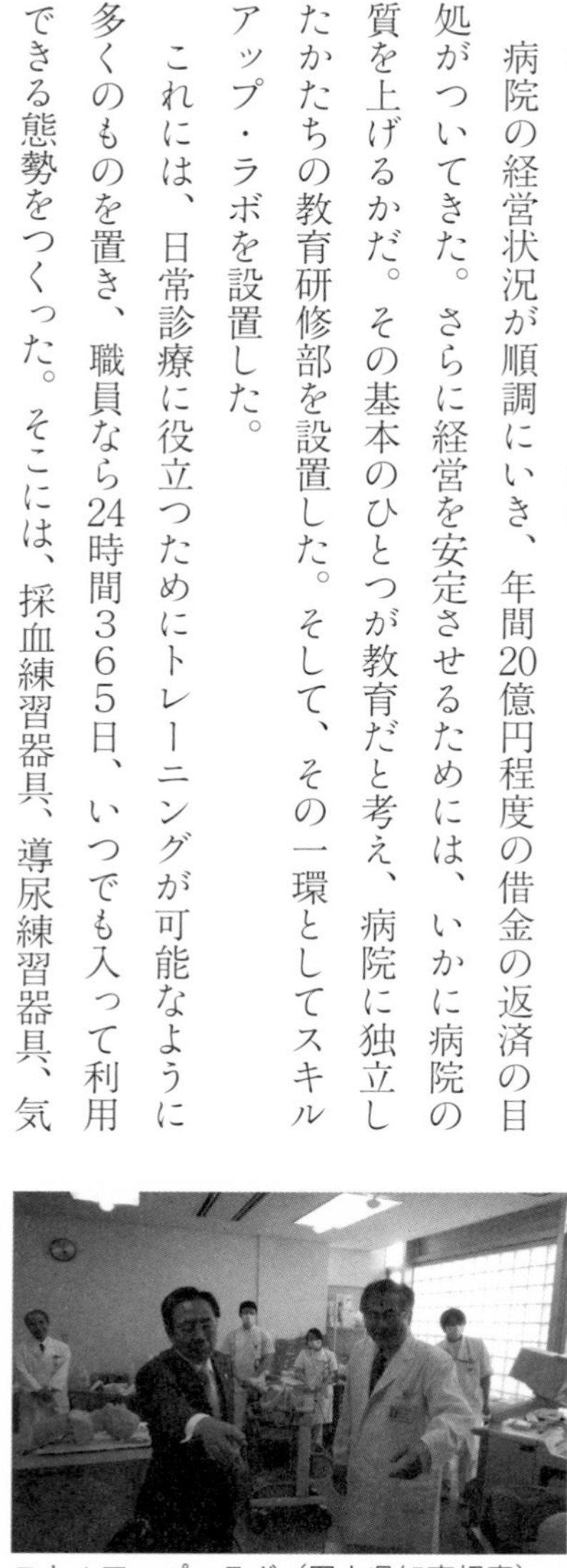

スキルアップ・ラボ（岡山県知事視察）

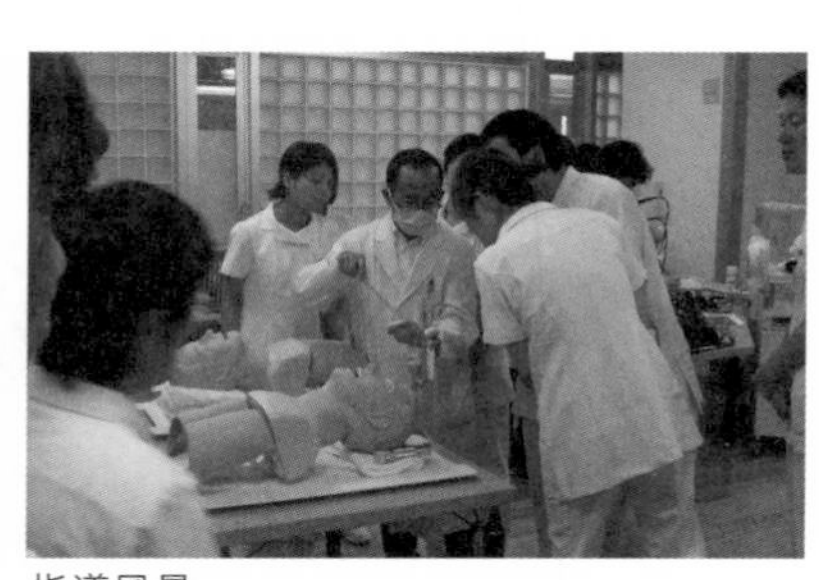

指導風景

管内挿管練習器具、腰椎穿刺練習器具、超音波装置、眼底検査器具、耳鏡検査器具、気管支鏡検査、救急蘇生モデル、縫合練習器具等、多くのものを揃えた。そして、病院職員のみならず、外部にも公開し、年間の利用者数は２００名を超えるようになった。

②入院時医学管理料加算の取得

２００８年（平成20年）４月、ＤＰＣの制度に入院時医学管理料が盛り込まれた。これは、従来の入院診療加算に代わるものであり、この取得の有無によって３％程度、収益に差が出ることが試算された。種々の要件はあるが、最大のポイントは入院患者の「必要情報添付逆紹介＋治癒」率が40％以上という条件だ。

多くの患者はほぼ治癒して帰るが、この治癒の意味は以後同一病名で受診をしないことを意味している。いくらか外来のフォローアップの必要な患者はこれに当てはまらない。そのため、必要情報添付逆紹介率を上げることが重要だが、当時の本院の状況はほぼ５％前後だった。これを40％まで上げるのは、医師の相当の努力を必要とする。本院で同じ治療がなされていても、この基準を確保するかどうかで、収益が２％程度アップするのだ（とらなければ１％下がる）。とにかく医師に頑張ってもらうしかない。

そのため、病院でできる限りのバックアップ態勢を整えた。決断する前の２００８年（平成20年）３月が５・９％だったものが、決断後の４月が32・７％、５月が34・１％、６月が42・

8％、7月が45・6％、8月が43・2％になり、以降も40％以上が持続するようになった。過去3カ月の実績をもって9月から入院時医学管理料の取得ができた。岡山県下の病院で最も早く取得できた。事に当たって医師がいかに早期に一丸となって対応できるかの証だ。素晴らしい仲間を持つ幸せを感じた。

③第1回医療事故シミュレーションの開催

医療安全に関わる職員の日々の努力は大変なものである。特に何か問題が起きたとき、昼夜を問わず対応しなければならない。ただ、その対応は現場に入ることや会議であり、その事件に関係したものに留まる傾向がある。それを全病院に広げて皆の理解と認識を得るために、医療事故シミュレーションを開催した。まずは、このような催しを医療の実際に取り入れて成功している病院の模倣から始めた。救急外来の誤認から誤って手術に至った事故を想定し、模倣手術場面まで取り入れたロールプレイ方式で行った。院長・副院長・看護部長を含む現場の職員20名ほどが役者として参加し、200名以上が見学・参加する楽しい会になった。

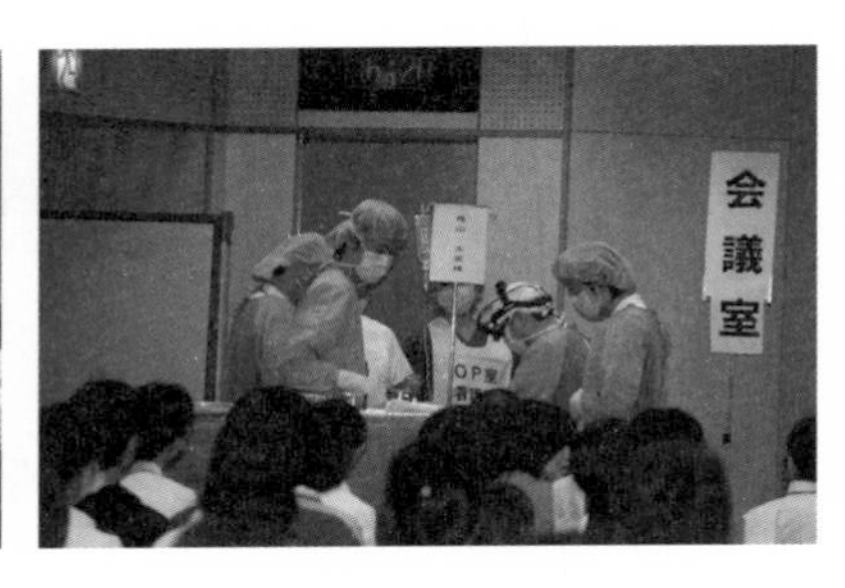

医療安全研修

６　就任６年目（平成21年）

①職員宿舎の新設（70戸）と看護学生寮の新設（60戸）

宿泊研修のときだった。私の横に座って食事をしていたある師長から、「先生、宿舎に鳩が糞をして大変なの。一度見に来てください」と言われた。宿泊研修はできるだけ参加者の声を聞き、対応可能なものはできるだけ実行することにしている。屋根つきのバス待ち合い所を新設したのも、その要望に応えたものだ。

宿舎を訪ねて驚いた。築後50年以上を経た建物で、鳩の糞どころか、風呂、炊事場は狭くて汚く、壁にもシミがついており、皆よく我慢して住んでいるなと思った。これは改築では無理、建て替えるか、住めるところまで住んで廃棄かのどちらかだ。宿舎は住宅としては岡山の一等地にあるが、遺跡が出るところなので、建て替えには相当な経費がかかることが予想された。収支のよくない他の機構内の病院は病院の建て替えもままならないのに、なぜ岡山には宿舎を、との声も聞こえてきた。

さまざまなことを考慮した末に、宿舎を新築することにした。今この時期に、直接病院の収益に関係しない宿舎をつくることに意味があると考えたからだ。おそらく、職員の宿舎は職員の究極の福利厚生のひとつであると思った。以前はほとんどの国立病院は宿舎を併設していた。

看護学生寮新築

職員宿舎新築

しかし、現状の独立採算制の下ではほとんど不可能と思われる。そのなかで、あえて本院が宿舎をつくることは、機構の職員にも、もし経営収支が改善すれば宿舎もつくることが可能であるという夢を持ってもらえるという意味合いもあった。70戸用5階建てで、ほぼ7億円程度の経費がかかったが、借金をすることなく建設できた。

看護学生寮は学生数を増員したときからの計画通りに、病院の敷地内に建設した。学生総数240名に対して120名が入れる寮はすでにあったが、学生の要望から概略その程度の部屋数が適当であると考えていた。そのため増員120名に対してその半数の60名が入れる寮をつくった。

基本的な考え方として、看護学校はよい教育をしてよい看護師をつくることにある。しかし、赤字になって機構の本部に依存し、教育に制限を受けるようなことがあってはならないとの考えのもとに、黒字が出るような運営をしている。しかし、元来この収益を他の部署に運用する考えは毛頭ないので、それは看護学校のために使用することになる。建築には病院からの支出で2億円程度かかった。これは学校から得られる5年の利益分に値する。

②第1回運動会

2009年（平成21年）7月夕方6時半から、岡山ドームで第1回運動会を行った。開会宣言の後、全員ラジオ体操を行い、競技は玉入れから始まった。12のチームに分かれての対抗戦だ。私自身は何十年ぶりかに行った玉入れだが、意外に難しいことを再確認した。続いて合計年齢100歳以上の多人多脚の競技、さらに綱引き、スウェーデンリレーなどを行い、大いに盛り上がった。

この運動会は2年前から私がずっとやりたいと思ってきた行事だ。5年前、本院に赴任して以来、多くの病院職員が参加できる行事を行おうと、積極的に遊びを取り入れた。その象徴が運動会だ。運動会で皆が一緒になってスポーツを楽しむ。誰でもその体調に合わせて楽しんで参加できる行事として、運動会は最適だと思ったからである。

また、運動会は必ずスターをつくる。病院で働いているときはあまり目立たない人も、リレーで何人もの人をスイスイと抜いて行く姿を見ると皆が感動し、一躍スターになるのだ。その翌日から、スターは病院で活き活きと働くことができる。ともに戦ったチームの団結力はより強くなる。このように、運動会はさまざまな要素から病院運営にはよいと分かっていながらも、実行するには、開催場所の問題、実施時期・時間の問題、世話をする人の問題など、かなりの

岡山ドームでの運動会

全員集合

綱引き

玉入れ

エネルギーを要した。初期研修医（30名）が企画運営を行い、職員で構成する運動会準備委員が支えるかたちで楽しい運動会が見事に終了した。応援者を含めて約270名の参加があったが、皆が楽しめた1日となった。

　これで本院の懇親を兼ねた全員参加型の年間行事は、以下の通りになった。

・1月初め　年始の会の後の懇親会
・4月1日　開院記念式典後の大掃除と懇親会
・5月後半　院内研究発表会のとき、談話をしながらの昼食会
・7月　運動会

・８月初旬　夏祭り（盆踊り）
・10月　ボーリング大会
・11月初旬　秋祭り（病院フェスタ）
・12月末　忘年会

7　金川病院の経営引き継ぎと新病棟の建設

その他に就任中に決定したふたつの大きな事業があった。新築の岡山市立金川病院の経営を引き受けることであり、もうひとつは８階建ての新しい病棟の建設だ。

金川病院は本院から車で15分ほど北に位置する病院で、年間ほぼ１億円程度の赤字を計上していた。２０１２年（平成24年）４月から同院の経営を本院が任されることになった。60床の病院の30床を本院に移し、金川病院は30床に縮小して運営することになった。そして、最も重要な医師対策としては、本院の職員が勤務の一部として対応することになった。この本院のベッドの増床は病院経営上非常に有益であり、もし金川病院が

岡山医療センター西病棟完成予定図（右側８階建てが西病棟）

少々の赤字を計上しても充分にカバーできる数字だった。この市及び県との交渉は機構本部の大いなる関与の結果でできたことであり、機構の底力を知った出来事だった。

また、本院本館の西側の８階建ての新病棟の建築に関しては、建築士の指導のもとすべて私が設計の基礎を作成した。退任前に完成する予定であったが、建設予定地に遺跡が出たため工期が大幅に遅れ、完成は私の退任後、２０１１年（平成23年）８月になった。１階に保育所、２階は救急病棟（無菌室完備）、３階は内視鏡センター・外来化学療法センター、４階～６階は病棟、７階は研修センター、８階は大小研修室などが設置された。２階の救急病棟は24時間３６５日断ることのない救急医療を行い、パンデミックにも対応できる病室だ。３階の外来化学療法センターは地域がん拠点病院にふさわしい、ゆったりとして医療を受けることのできる病室となった。

特に特徴的なものは、１階の保育所と2階の救急センターと7階の研修センターだ。保育所はほぼ1階の全フロアを使用するもので、病児保育設備を有し、認可保育所としても60名は充分収容可能なスペースを有する。２階の救急病棟は特に力を入れた箇所のひとつだ。当時ＳＡＲＳなどのパンデミックに対応する病室確保が必要だった。そのため、新しいものをつくるの

１階院内保育所（床暖房が完備されている）

なら、ぜひこれを入れたいと考えていた。そのためこの病棟は普段は救急病棟として使用するが、いつでもパンデミックに対応できるように、病棟すべておよびその中の個々の個室が別々に陰圧対応になるような設計した。これにより、パンデミックが起きたときは、連係する外来診察室から他人に接することなく病棟に収容できる設計にした。この感染症対策病棟が現在COVID-19の対応に役立っている事は私にとって大変嬉しい事である。

７階の研修センターのほぼ3分の1のスペースは、すでにあるスキルアップ・ラボの移転だが、より広い場所を確保し、高度な腹腔鏡トレーニング機器、消化管内視鏡トレーニング機器などを備え、さらに充実させることができた。3分の2のスペースは、模擬ホスピタルと称し、ベッド医療機器などを整備した。これは研修医・医学生・新人看護師・看護学生のためのものでもあり、その一角で研修の様子をモニターで監視し採点できるように設計した。研修センターは、本院の職員のみならず、他院の職員、学生にも開放されている。一般病院内にこのような施設を備えた病院は日本には存在せず、全国の医学生が実際の医療の現場を見学すると同時に、ここでトレーニングを受けられるような状況をつくった。

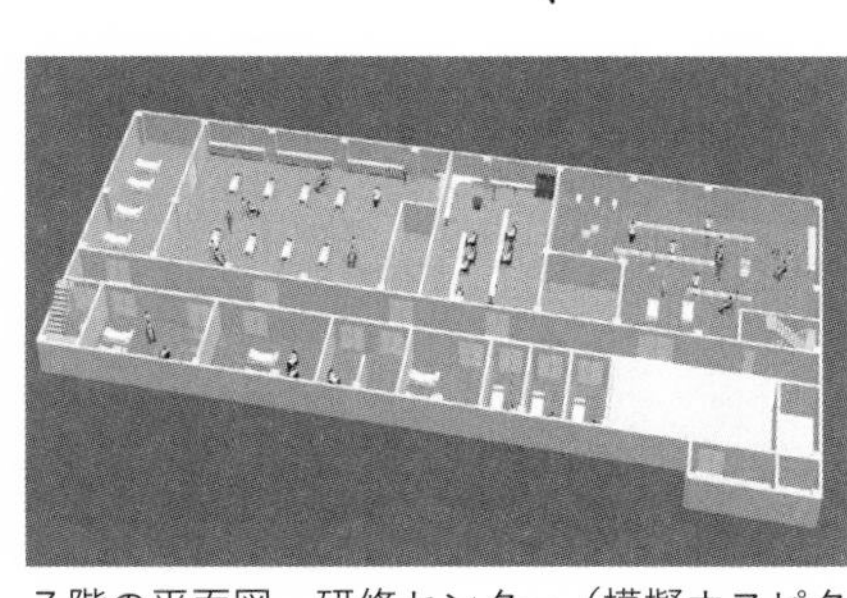

７階の平面図　研修センター（模擬ホスピタル・スキルアップラボを設置）

8　歓迎せざる出来事とその対応

①4年間分娩費に消費税を取っていた問題（返済額3000万円）

2004年（平成16年）9月、私が院長に就任して半年経った頃だ。ある患者の指摘で、本来は徴収すべきでない通常出産の患者から消費税を取っていたことが判明した。1991年（平成3年）の消費税法改正で出産費用が非課税になったが、1996年（平成8年）に担当になった当時の国立岡山病院の職員が1989年（平成元年）の解説書を見て誤って課税するように会計手続きをしてしまったのだ。以後もそれが何の疑いもなく継続されていた。現在の田益の地へ移転する前からのものだった。

消費税上は還付義務がないとの判断だが、社会常識から考えてもそれが許されるはずはない。熟慮の結果、マスコミを通して世間、患者に謝り、全額返還することにした。延べ1800名、総額3000万円の一大事業だったが、ほぼ全員に還付した。これは大部分が独立行政法人国立病院機構岡山医療センターになる前のものであり、過剰徴収分はすべて国に税金として納入しており、当然本院の収入にはつながっていなかった。しかし、機構本部の「貴院で泣いてくれ」という示唆もあり、本院の経営状況も良かったのですべて本院の負担で解決した。

②フィブリノーゲン事件に対する対応『病院の品格』

２００７年（平成19年）11月、フィブリノーゲン投与によって生じたＣ型肝炎及び肝硬変患者に対して、国が責任を認め、謝罪と賠償の方針が示された。これにより、命をかけてたたかってきた多くの薬害被害の方々に光明と救済の道が示されたことは、大変喜ばしいことだ。元来、フィブリノーゲン自体は無フィブリノーゲン血症の患者にとっては非常に有益なものだが、国、製薬会社は「Ｃ型肝炎汚染の危険性があることの情報を早期に出し、その適応を厳密に絞るべき努力を怠った」のである。国は１９８８年（昭和63年）６月に、Ｃ型肝炎の危険性を強調して、使用適応を厳密にすべく強い警告を出したが、この警告が当時の医学常識から考えて遅すぎたのだ。

本院においてもフィブリノーゲンを使用していたが、１９８８年（昭和63年）６月以後はこの警告に従って厳密な適応のもとに使用しており、一応、公的には責任問題はないと解釈される。しかし、それ以前からフィブリノーゲン投与後の肝炎の危険性は示唆されており、Ｃ型肝炎とは認定されないまでも、その投与に全く責任がないとはいいきれないと考えた。

そこで、国の対処責任が明らかにされた状況において、私たちはどのような形でその責任の一端を負うべきかを考えた。

本院には20年間（１９８６年（昭和61年）以後）の診療録が保存されていた。確認が必要とされる１９８８年（昭和63年）以前で診療録が残存している期間のフィブリノーゲンの納入実績は80本であることが、製薬会社からの情報で明らかになった。

そのような状況のなかで、病院としてとるべき方策には2つの選択肢があった。①診療録の保存を継続し、患者からの問い合わせに対し、真摯に対応する。②すべての診療録を調べ、投与歴があれば患者に連絡し、要望に添って対応する、だった。①はほとんどの病院が行っている方法であり、一応病院としての義務は果たせる。しかし、もし②を行うとすれば、調べる必要のある診療録は4万5000冊と膨大な数になり、相当な時間と労力を要する。院長としての決断を迫られた。肝炎で病んでおられる方々、さらに肝炎潜在患者のことを考えれば、医師として、病院としてやるべきことはただひとつ、『保存されている診療録をすべて1枚1枚調べることである』という結論に達した。これこそが「病院の品格」であると考えた。これらの方向性をまず病院幹部に話したが、ありがたい事に全面的な賛同が得られた。

しかし、実際の作業となれば容易ではない。手術中の「フ

フィブリノーゲン診療録調べ：診療終了後に黙々と

集められた過去の診療録

ィブリン糊」としての散布は、当時保険適応外であり、伝票等には記載がない可能性も高く、手術記録のみの確認になる可能性が高い。当然ほとんどの医師は、自分が記載した診療録ではないので、非常に調べにくい。専門知識のある医師または薬剤師のみが対応可能な調査であり、しかも診療録を1枚1枚綿密に調べることが要求される。単純計算をしても、１人３００冊以上の診療録を調べる必要があった。

12月早々、医長全員に集まってもらい、本院すべての医師に１人当たり３５０冊の診療録の調査をお願いした。期間は２００７年（平成19年）12月から２００８年（平成20年）３月までの４カ月間で完了することにした。当然、私自身も参加することにした。多少の説明を要したが、１名の反対もなく賛同してくれた。総勢１４０名の医師、薬剤師が概略９００時間をかけた一大事業だったが、２００８年（平成20年）３月末に無事に完了した。

調査を始めて1週間目頃に、呼吸器外科手術記録のなかに1行「Fibrinstarch applied」と書かれた記載が見つかった。このとき、「調べてよかった」と非常に嬉しく、しかも勇気づけられたことを鮮明に記憶している。すべて調べ終えた時点で、80本の納入実績に対して28名29本の使用実績が明らかになった。特記すべきことは、そのうち静脈内注射は1名2本の使用のみであり、残りはすべて、手術視野への「フィブリン糊」としての散布投与だった。51本の使用は未だ不明だ。無記載の術中投与の可能性が高く、現時点での調査の限界といえる。

投与が明らかになったすべての人に連絡を取り、対処した。膨大な診療録調査に労力を惜しまず、気持ちよく賛同してくれた医師、薬剤師および短期間にすべての診療録を手際よく準備してくれた診療情報管理室の皆に感謝している。本院の素晴らしい仲間を誇りに思った。

③6年間の不適切な外来化学療法加算の取得（返済額2600万円）

２００８年（平成20年）６月の宿泊研修の最中のことだ。雑談のなかで、最近転勤してきたある師長から、「先生、あのような場所での外来化学療法をして加算が取れるの？」と指摘を受けた。驚いて至急に精査すると、不適切な取得が明らかになった。すなわち、本院の加算が取れる整備された部屋は4部屋だが、患者が多い場合や、患者の要求によって決められた場所以外でも化学療法を行い、加算を取っていたのだ。施行した看護師は化学療法をしたという記載をしていたが、医事事務側としては、定められた4部屋で施行したと理解して加算を取っていたのだ。

これは事務・看護師間のコミニュケーション不足であり、悪意でなされたものではないとはいえ、完全に病院側のミスだ。判明してからは早急な対応をした。①社会保険事務局に正直に報告し、返済を含めた指示を仰ぐ、②病院内外にこの事実を公開し、謝意を表する、③対象になった患者には個人的に謝意を表するとともに、過剰徴収分を返還する、④加算を取れる部屋で治療をした人が明確でなかったため、その期間に化学療法を施行したすべての患者に過剰支払分を返却する、⑤当分この件が解決するまでは一切療法加算を取らないこととした。幸い、患者からのクレームは1件もなく、無事に解決した。あまりよいことではないが、消費税を返却した経験が大変参考になった。

９　６年間の実績　経営収支・設備投資・医療機器購入・年間行事

収支面では計画通りの借金の返済ができ、就任当初あった３４９億円の借金が６年間で１０２億円返済し２４７億円まで減少した。この返済額は２００億円以上の多額の借金を抱えて門出した機構内６大病院のなかでも飛び抜けている。２００８年（平成20年）の時点での借金の推移・資金捻出額・返済額・返済残金、借入金残高、預託金額を表1に示した。資金捻出額とは（長期借入金元金返済額＋支払利息＋自己資金整備＋預託金残高－短期借入金－重投資助成金）の式で表されるもので、機構においては真の営業実績を見る指標として使用された。岡山医療センターは２００７年（平成19年）度まではＫＹ病院の後塵を排していたが、２００８年（平成20年）度の資金捻出額が28億円になり飛躍的に上昇したため、２００４年（平成16年）から２００８年（平成20年）度までの累計でトップになった。以後、退任までトップを維持した。

私の在任中の本院の経営指標を表2・表3に示した。この在任6年間の推移を見ると（表3）、年間収益は就任前年度に１０４億円であったものが徐々に上昇し、退任時には１６９億円（増加率63％）になった。同様に年間新入院患者数は９８００名から1万４５００名に（増加率48

％）、手術室で行う年間手術数は３７００例から５８００例（増加率57％）になった。その間平均在院日数は徐々に減少し、19日から13日に（減少率32％）減少した。結果的には日当点（一人一日の入院診療点数）は３５００点から７０００点（増加率１００％）に上昇した。また、私の在任６年間で、職員数が５５６名から１０１５名になりほぼ倍増した。そのうち、看護師数は３４６名から５９７名（増加率73％）、医師数は１０９名から１８２名（増加率67％）になった。その間のアウトソーシングを入れた人件費率は40％から45％になり、わずか５ポイント増加（増加率１・１％）したのみであった。就任当初、給料支払いなどのための手元現金が10億円程度あった。新建築3棟を含み以下に示す（表４）設備投資をすべて支払い、更に分娩時に間違ってとっていた消費税の払い戻しをすべて済まし、しかも６年間で１０２億円の借金の返済をした後に、次期院長に現金として29億円を繰り越し金として残すことができた。

６年間の比較的高額なハード面の投資事業の概略を表4に示した。職員宿舎（5階建て）の新築、看護学生宿舎の新築（5階建て）、ＭＦＩＣＵの新築、小児用プレイルームの新築、産科用デイルームの新築、職員用談話室の新設、回転ドアの廃棄と新しいドアの設置、ＣＴ室改修と64列ＣＴの購入、血管造影装置（2門撮影）の購入、ＭＩＲ（１・5Ｔ）の設置を行った。また、備品として救急車・看護学校用バス・看護学校専用車・地域連携室用専用車・病院公用車などの購入も行った。

表１　機構主要病院（借金額・資金捻出額・借金返済額、借入金残高・預託金額）

（百万円）

施設	15年末借入金	資金捻出額（16-19年度）	資金捻出額（20年度）	資金捻出額（16-20年累計）	返済額（15-20）	20年末借入金	預託金	短期借入金
岡山医療（580床）	**34,871**	**9,259**	**2,819**	**12,078**	**8,485**	**26,386**	**2,000**	**0**
KY医療（700床）	22,909	9,326	2,101	11,427	5,016	17,893	0	404
TO医療（780床）	30,795	7,697	1,617	9,314	4,458	26,337	0	1,090
KU医療（700床）	31,612	5,847	2,708	8,555	7,470	24,142	0	0
NA医療（650床）	36,872	5,476	1,967	7,443	4,625	32,247	0	154
OO医療（698床）	25,974	5,376	1,056	6,432	3,012	22,962	0	136

資金捻出額 = 元金返済額 + 支払利息 + 自己資金整備額 + 預託金残高 - 短期借入金残高 - 重投資助成金（基本的には経営収支は関係なくキャッシュフローが数字に出る）

表２　在任中の経営指標

	16年当初	16年度	17年度	18年度	19年度	20年度	21年度
総収益（億円）	104	120	128	148	159	161	169
入院患者数（人/日）	510	509	509	515	517	504	514
新入院患者数（人/年）	9,800	11,816	12,814	13,949	14,292	13,995	14,474
平均在院日数（日/人）	19.1	15.7	14.5	13.5	13.2	13.2	13.3
手術患者数（人/年）	3,666	4,344	4,787	5,428	5,429	5,475	5,773
職員数（人）	556	719	833	918	969	1019	1015
医師数（人）	109	137	155	173	178	185	182
看護師数（人）	346	425	505	557	586	609	597
人件比率（%）	40.3	40.1	41.3	44.2	43.7	44.6	45
手元現金（億円）	10.7	20.3	26	26.3	30.9	27.5	29.2
借金（億円）	349	339	325	307	288	268	247

表３　在任中の経営指6年間の推移（まとめ）

	16年当初 （就任前年度）	21年度末 （退任時）	６年間の推移
総収益（億円）	104	169	63% ⇧
新入院患者数（人/年）	9,800	14,474	48% ⇧
平均在院日数（日/人）	19.1	13.3	32% ⇩
手術患者数（人/年）	3,666	5,773	57% ⇧
職員数（人）	556	1015	83% ⇧
医師数（人）	109	182	67% ⇧
看護師数（人）	346	597	73% ⇧
人件比率（%）	40.3	45	1.1% ⇧
手元現金（億円）	10.7	29.2	29.2
借金（億円）	349	247	102億円 返済済み

表４　６年間の歩み　新設・購入備品

16年4月　有料個室整備
16年4月　無菌室改修（5床→23床）
16年7月　回転ドア改修

17年1月　小児用無菌室改修（4床）
17年2月　NICU　増設（6床→15床）
17年4月　MFICU　新設（6床）
17年6月　職員用談話室改修
17年7月　顧客面談室新設（2室）
17年7月　医療安全・感染管理室設置
17年9月　警備員室設置

18年1月　救急用エレベーターの新設
18年1月　小児用プレイルーム新設

19年1月　CT室改修（64列設置）
19年2月　院内表示改修
19年3月　看護学校増築
19年3月　血管造影装置（2門）設置
19年6月　ドトールコーヒー開店
19年6月　産科デイルーム新築
19年8月　障がい者用駐車場新設
19年8月　障がい者用トイレ設置（建物外）
19年8月　看護学校用車（2台）購入
19年8月　地域連携室用車購入
19年9月　MRI（1.5t）設置
19年12月　救急車購入

20年4月　スキルアップ・ラボ設置
20年8月　バス待合い新設
20年10月　病院公用車購入
20年11月　看護学校用　バス購入

21年3月　看護学生寮　新設（60戸用）
21年3月　職員宿舎　新設　（70戸用）

退任時の決定事項
新病棟建設（８階）着工

その他、種々の年間行事（表５）を行ったが、その中で開院記念日設置・院内発表会・宿泊研修・夏祭り・禁煙パトロール・全職員参加型忘年会・金曜朝市・病院フェスタ（秋祭り）・医療事故シミュレーション・運動会などは毎年の継続行事として開催した。

その他、退任時の決定事項として、８階建ての新病棟建設（着工）と岡山市立金川病院経営引き受けとそれに伴う本院の病床数の増加（30床）があった。

10　DPCを読みきる

私の病院の経営状態が比較的順調に経過したため、日本の多くの所から講演を依頼された。そこでは何故そのようなことがで

表5　6年間の歩み　病院事業・その他

16年　開院記念日設定
花と笑顔の病院
備前焼花入れに生きた花を飾る
顧問弁護士をおく
個室の改修と個室料値上げ
全職員との面談
在院日数大幅削減
理念の変更
人にやさしい病院を目指して
幹部会議・各種委員会改革
第1回院内発表会
院内売店改革
新聞3紙の医療記事を掲示
17年　第1回宿泊研修
禁煙パトロール　開始
第1回夏祭り
外来警備員配置
第1回全職員参加型忘年会
18年　10対1看護態勢の確立
院内SPDの導入
小児入院管理料1の取得
小児日当点の変遷　4793（17年）→6518（19年）→9955（21年）
金曜朝市開始
19年　病院機能評価ヴァージョンV　合格
看護学生数の増員
（1学年：80→　120）
院内ドトールコーヒー開店
地域医療支援病院認定
第1回病院フェスタ開催
7対1看護態勢の確立
DPC加算（7対1看護基準の取得）
20年　地域がん拠点病院認定
スキルアップ・ラボ設置
入院時医学管理加算取得
第1回医療事故シミュレーションの開催
21年　第1回運動会開催

退任時の決定事項
岡山市立金川病院経営引き受け
それに伴い本院に30床の増床

きたのかとの質問を受けた。私は今まで述べてきたすべてが総合的に良い方向に向いた結果だと考えている。しかしその中でひとつ選ぶとすると、DPC制度をうまく取り入れ、それを利用したことだと思う。就任当初はDRG／PPS制度であったため、とにかく在院日数を下げることから進めた。その後本院も本格的にDPCを導入することになった。このDPC制度下では高位の施設基準の取得が収益につながるシステムだ。そのため、いかに早期にその基準を取得するかにかかっている。その基本は医療の質を上げるために、医師・看護師を中心とした職員の確保であり、職員が一致団結して同じ方向に進むことだ。本院においては、非採算部門として冷遇されていたときにあえて小児医療に携わる医師（小児科医師、小児外科医師）を増やした。また、努力して産婦人科医師の確保に努めた。また、７対１看護が要求され、日本中の看護師不足が深刻になる１年前に看護師を多数確保した。他の病院より常にほんの少し前を歩いてきた。これはＤＰＣ制度の本質を理解することで可能になった。その当時はＤＰＣも少しずつ前に進んでいた。そのためその進む方向を先取りすることが重要だった。ここでプライドをかけていうならば、その当時のＤＰＣの進む方向性は非常に読みやすいと感じていた。そのため、その方向性の一歩前を歩けばよいと考えた。あえていうが、その当時私はＤＰＣ制度の基本をつくられた松田晋哉先生の一般的な講演を聞いた事はあるが、個人的には一度も会ったことはない。それなのに、なぜＤＰＣは読みやすいのかは、その決定方式を考えれば明白だ。ＤＰＣの方向性の決定に関与しているのは、①厚労省の役人、②マスコミ、③患者となる一般人、④医療従事者、⑤ＤＰＣで生きていく企業人（製薬会社、器械販売会社、ＤＰＣ解説会社等）、⑥学者、などだ。ここで重要なのは、これだけの人たちが関与すれば、必ず社会が要求している医療に収益が伴うようになるのである。これこそが経営の基本だと考えて実行してきた。その結果が良い方向に向かったと思う。

Ⅲ　院長心得20ヵ条

新米院長に就任して、四苦八苦して病院運営を行ってきた。その経験の中で最も重要なことは院長の考え方、行動・実行力だと思う。それを院長心得20ヵ条としてまとめた。

はじめに

病院は独立した企業体でありいくら公的病院であれ自分たちの病院は独立して運営しなければ誰も助けてくれないことを認識する必要がある。また患者は顧客であり、顧客から見放されたら絶対に病院は成り立たない。しかし、顧客だからといって、患者に媚びる必要はない。美味しいレストランは予約でいっぱいで決して媚びて客を呼ぶ必要はないが、味が劣っていれば、客を呼ぶための努力を必要とする。その与えられた状況に応じての対応が必要である。どの企業でも人が働いて運営していることは間違いないことであるが、自動車、電気メーカーなどは機械・機器の果たしている役割は大きい。しかし、病院はすべて基本的には手作業であり、すべての分野は人の働きによって成り立つものである。そのため、いかにその働いている人たちが楽しく働いているかが基本になる。病院経営においてはこれらを認識の上院長業を行う必要がある。以下にこの原則に沿って具体的に述べる。

第１条　２年が勝負と思うべし

院長になったら、まずこれを認識する必要がある。私の経験から考えると、半年ぐらいで少し先が見えてくると思う。１年経てば方向性はかなりはっきりする。この意味は、黒字になることを意味してはいない。経営が良好な方向へ向いているという意味である。病院の状況によってはそれすら難しい場合もあることを考慮に入れて、１年でなく２年を限度とした。

もし、２年経っても、ある程度の成果が出ない場合は、早期に院長を辞めた方がよい。院長になるような人なので、元の自分の仕事に復帰すれば、医師として充分に診療ができる。親の跡を継いで院長になって経営ができないような人は元々院長になる資格のない人なので、それは論外である。その場合は、できるだけ早く辞めた方が患者のためになる。

ただ、院長を辞めることに対し決して屈辱感を感じる必要もない。なぜなら、自分は院長業に適していない医師であるだけなのだ。

第2条　退路を断つべし

多くの医師は自分の逃げ道を持っている。特に医師として有能な人ほど、多くの逃げ道を持っている。例えば、「私は国際学会で発表するから」、「私は学会の会長をするから」ということを隠れ蓑にして、少々経営状態が悪くても自分のプライドを保とうとしている人がよくある。当然、国際学会の発表も学会の会長も非常に重要なことだ。ただ、それが病院経営の不成果の逃げ道になってはならない。

職員にとっては、うまく経営できて、給料を滞りなく払ってもらえるのかがもっと重要なことなのだ。その意味で、院長を引き受けた時点から、診療実績、研究実績よりも経営実績の方がはるかに重要であることを認識、自覚する必要がある。

第3条　正論を述べ、可能な限り実行すべし

病院はいろいろな職種の人が働いている。院長だからといって、すべての業務が分かるはずはない。当然現場の人たちと意見の違うことが多く起こりうる。その場合は、まず私利私欲に走っていないかどうかを考える。重要な問題は一晩ゆっくり考えるのもよい。もし自分の考えが、理念に沿っていると思えば、正当なことを述べ、屈しない方がよい。自己完結が許される

院長なら、正当と思うことは反対を押し切っても実行すべきである。妥協して結果が悪くなれば、すべて院長の責任だ。もし機構のように上司が存在する場合も正論をしっかりと主張すべきである。

第４条　部下を把握し、信頼して任すべし（公的病院院長）

就任早々、すべての部署の責任者と面談した。特に医師は重要なので、じっくり時間をかけて面談した。医師にはさまざまな特徴を持った人がいる。経営に興味を持つ医師、診療が好きな医師、手術の大好きな医師、それらは皆、それで機能を果たしている。皆を経営に引きずり込む必要はない。むしろ、自分の特技を活かして協力してもらい、経営に向く人のみで経営をすればよい。

事務系は、病院経営には非常に重要だ。ただ、国立病院機構では幹部事務職員は２～３年ごとに転勤がある。いくら優秀な人でも、規模や形態の異なる組織からの転勤者が、自院の経営方針に沿うことができるまでには、半年程度はかかる。これらの職員を適材適所に配置し、教育・研修のできる状況をつくり、その後は信頼して任せるという態勢をつくる。

看護部は全職員の60％以上を抱えており、病院経営には非常に重要な部門だ。看護部長、副部長は、事務部と同様に２～３年ごとに転勤がある。そのため、幹部会議において充分に討論し、自分の考えをはっきり示し、その後は信頼して任せることが重要である。

具体的には、私は事務部・看護部の幹部職員はどの学会・研究会・研修会に出席しても、その旅費と宿泊費などの経費はすべて病院負担とした。

第5条　職員が公務員である事は有利と思うべし（公的病院院長）

以前から、公務員は働かない、気が利かない、冷たいなどと言われてきた。しかし、今は全く異なる。看護師は患者さんに対して非常に優しく、事務職員もとてもよく働く。これらは病院の内外の教育によって意識改革された結果だと思う。

私は公務員こそよいと思っている。その理由は、①公務員には、心の奥底に「国民のために働く」大義がある、②公務員は優秀な人が集まっている、③規制が少ない、からである。

特に事務職員は、国家公務員試験を通っている人の集まりであり、あるレベルの保証ができている。私も6年間院長を務めてみて、本当に優秀でよく働いてくれると感心した。

私は30年間、国家公務員として国立病院に勤務した後、私立大学に移った。移る前は私立施設の方がずっと規制が少ないだろうと考えていた。しかし、実際は大きく違っていた。私立の組織の方がずっと多くの規則、規制があることを知った。

私立の場合、組織が大きくなればなるほど、経営者の意に添ってあらゆることを規則で決めておかないと、組織が動かない。現実には自分が絶対にいいと思って主張しても、経営者の思いと一致しない場合はそれは通らない。経営者はすべてにいちいち対応はできないので、これを規則で決めておくことになる。

一方、公務員の場合は、管理者と意見が合わなくても、筋が通ると思うことは何度でも交渉が可能なのだ。そこまで詳しく決めた規則がないばかりでなく、管理者といえども公務員であり、すべてが個人の私物ではないので、絶対的ではないからである。これが公務員がよい理由だ。

（なお、平成14年12月20日施行の「独立行政法人国立病院機構法」により、機構の役職員の地位はいわゆる「みなし公務員」となったが、大同小異である。）

第６条　兼業許可は授かりものである（公的病院院長）

長年、国家公務員の兼業は認められていなかった。しかし、独立行政法人になって、院長の権限で兼業を認めることが可能になった。これは病院を経営する者にとって非常にありがたいことである。

国家公務員の勤務医は開業医や私立病院の勤務医師に比較して給料が安い。一方、医療レベルを維持するためにはよい医師は不可欠であり、勤務医師のある程度の生活保障は必須事項である。兼業でこの収益の一部を補充できる事は、まさに神の授かり物といえる。

兼業許可にあたっての原則は　①優秀な医師を集めるための手法として考える②地域医療に貢献するという大義に沿って派遣する③患者確保に繋がるところに派遣する④あくまでも許可制であり、経営者として医師のコントロールに利用するなどである。

院長の意に添わない兼業にはペナルティを課す必要はある。

第7条　経営のために医療の質を下げてはならない

多くの医師は、自分の信念に従ってよい医療を行うことを考えている。その状況のなかで、収益を上げるために自分の良心に反する医療を強いることはあってはならない。特に、収益を上げるために必要のない検査を多くするとか、在院入院患者数の維持のため、金曜日、土曜日に退院できる患者を月曜日まで入院を延ばすなどは、あってはならない。

非常にありがたいことに、現在の医療制度は、よい医療を行えば収益は自ずとついてくるシステムになっている。

第８条　経営指標・医療制度に明るくなるべし

簿記用語の意味を理解して何が経営指標になるかを知る事は重要である。また、医療制度を理解して、ＤＰＣとは何か、どうすれば経営に役立てることができるかなどを理解する必要がある。もし知識が不十分ならできるだけ早期に事務職員・外部の専門家などから知識を得て、少なくとも幹部事務職員と対等に話ができる状態になる必要がある。

第９条　先人に学ぶべし

本などを通して過去の偉人、賢人に学ぶことは非常に重要である。実際に現役で病院経営をやっている賢人から学ぶことがより早道だ。

私が院長に就任したとき、１４６の機構病院のなかでトップを走っていたのが、九州医療センターであった。そのときの院長が朔元則先生で、私はどうにかして朔先生とゆっくり話がしたいと思っていた。もちろん、病院は見学させていただいたが、ゆっくり話ができる状況ではなかった。そこで、先生が東京で私と同じ会議に出席される翌日、本院での講演をお願いした。会議終了後、新幹線の座席を準備させていただき、東京から岡山までの3時間、先生の経営哲学、人生観までを含めてゆっくり話を聞かせていただいた。先生には3時間閉じ込めた事になり、大変ご迷惑をおかけしたが、私にとっては以後の病院経営に大変参考になった。今でも朔先生には感謝している。ぜひと思う先生がおられたら、あるいはそのような先生を見つけて、ゆっくり話ができる時間を捻出するとよいと思う。新幹線のグリーン車などは非常によい場所だと思う。

第10条　病院見学を積極的に行うべし

初めて病院経営をする人、自分の病院をもっと改善したい人にとっては、非常に重要なことだと思う。私自身、機構の病院のみならず、済生会病院、日赤病院などの公的病院、さらには亀田総合病院、倉敷中央病院など、日本で著名な私的病院を多く見学させていただいた。自院と同規模病院で最高収益を上げているところは、その要因がどこにあるかを実際に見て知ることが特に重要だと思う。病院見学をすると、必ずひとつ以上は得るものがある。もし、おかしいと思うことがあれば、反面教師としての役割を果たすことにもなる。

第11条　他業種から学ぶべし

これも重要なことと思う。ホテルや旅館がよい勉強になる。よいホテルには立派な案内書が置いてあり、病院のパンフレット作成に役立つ。

私は何年かに１回は少々無理をして（勿論自費で）人気のある旅館に泊まることにしている。雲仙の宮崎旅館、石川県の加賀屋などでは学ぶ事が多くあった。そこでの接遇のひとつひとつが、病院の接遇改善に役立てることができる。また、デパートの商品展示やウィンドウショッピング用の飾り付けも重要だ。本院においても、病院玄関の空間を利用して、季節ごとに替わる展示を行っている。門松、雛飾り、七夕、クリスマスツリーなどだ。

また、水族館やディズニーランドの売店も非常に参考になる。そこには子どもたちが来て楽しいようなものが沢山置いてある。

さらにテレビドラマも役に立つ。最近は医療を取り上げたニュース、ドラマが多くある。このなかには周辺環境を含めて病院経営に参考になることが多くある。これらを取捨選択して、どれを取り入れるかが管理者の役割だと思う。

第12条　医療情報をつかむべし

厚労省からの情報、中医協からの情報、上部組織からの情報、各種セミナー、メディファクスなどさまざまに目を光らせておく必要がある。しかし、自分でつかむ情報量には限界があるので、幹部職員にはできるだけ外へ行って情報をとるように促した。当然の事ながら、幹部職員の学会、研究会、セミナーへの参加費用はすべて病院負担とした。管理者としては、それらから得た情報を取捨選択していかに取り入れるかが重要な仕事である。

第13条　権限と責任を明確に宣言すべし（公的病院院長）

公的病院の院長は、すべて雇われ院長である。そのため、責任と権限をはっきりする必要がある。院長の責任で最も大きいことは収支に対する経営責任であり、第1条で述べたように、結果がうまくいかなければ2年で職を辞すことを覚悟し、実行する必要がある。

公的病院は赤字でも、金銭的な責任を負わなくてもよいわけだから、うまくいかなければ自分で職を辞すのは当然と思う。その覚悟があれば、権限を主張してもよいと思う。

私は赴任早々、幹部に「人事とお金のすべてを院長が握る」ただし、すべての結果責任を院長がとると宣言し実行した。

第14条　しっかりしたビジョンを示すべし

就任したとき、はっきりとした方針を打ち立てるため、病院の理念を掲げた。1991年に、本院はユニセフから先進国では初めて「Baby Friendly Hospital 赤ちゃんにやさしい病院」の称号を受けていたので、これを考慮に入れて「Human Friendly Hospital 人にやさしい病院をめざして」を理念に掲げた。この基本方針として、①患者様にやさしい病院を目指します、②病院で働く人にやさしい病院を目指します、③地域の人にやさしい病院を目指します、を掲げた。

この理念に沿って、節目節目で自分の考えを職員全員に示した。特に年初には、必ずその年の実行目標を数字で示すようにした。この理念に沿った考えは、一度示したら変更してはならない。

第15条　自分の武器を利用すべし

私は大学卒業後のほぼ30年間、小児外科医としてやってきたので、岡山地域では最も多く子どもの手術をしてきた。そのため、診療を続ける事は病院経営上も重要である。

また、私はいくつかの岡山県の委員会などの役職を兼務していた。またＯＨＫテレビの番組審議委員長もやっていた。これら

特別講演

「私の考える　子育て10ヵ条」

国立病院機構岡山医療センター院長　青山　興司

山陽新聞　2008年11月3日付

の病院外の役職を最大限利用して、病院をＰＲする必要がある。

特に、病院経営上必要な認可はほとんどすべて県からのものなので、県とは常によい関係を保って情報を得ることは、病院経営には非常に重要なことだ。

第16条　真実を語るべし

立場上、院長には病院内外から多くの情報が入る。これらの情報や病院の方向性を病院内に周知徹底する必要がある。このとき、決して嘘を言ってはいけない。嘘を言うと、どこかでボロが出る。必ず真実を語るべきである。

ただ、病院経営を考えるとき、真実を伝えるということは、すべてを語るということではないということを理解する必要がある。この情報のコントロールこそが病院経営に非常に役立つ。これが院長の経営手腕のひとつともいえる。

本院の場合、当初３５０億円の借金があり、これを年間20億円程度返還しなければならないという情報は、皆に絶対に周知すべき情報である。さらに、年間どの程度返還しており、それが計画に沿った返還であるかどうかも周知する必要がある。しかし、その収益を得るのに、どの部署が、あるいはどの科がどれくらい関与しているかを詳細に公表する必要はない。部署の収益は年々変化するので、これを語ると、困った方向に一人歩きする危険性がある。

第17条　研修医を大切にすべし

病院の質を上げるのに最も重要なことのひとつが、若い医師が働いていることだ。若い医師を育てることは、先輩医師の責務であるばかりでなく、自らの技量を向上させるのにも大変役に立つ。病院がアクティビティを保つには絶対条件である。

そのために、研修医が楽しく研修できる場を作る事が重要である。可能なら院内に教育研修部を設置し、科を超えての研修態勢の充実を図ることも良いと思う。

第18条　病院独自の会議・教育、研修・人事の方針を持つと良い（公的病院院長）

会議には大きく分けて二つあると思う。ひとつは報告会であり、ひとつは討議をする場所だ。一般的には各部会で討議し、それを幹部会議にかけてものごとを決定する。そのため、幹部会議に出たときはほとんど決まっており、幹部会議は報告を受け承認するというかたちが多い。

私は赴任当時、６００名ほどの職員がおり、幹部の面々も転勤族であり、意思統一ができていない、特に自分が属さない他の部署のことはほとんど分からない、このような状況を打開するには、幹部会議でしっかり討議するしかないと考えた。そのため、幹部会議は１週間に１回とし、充分に時間をかける、そのかわりにほとんどすべてのことはその日に決定することにした。結果的には、会議時間は5~10時間となったこともあるが、誰も寝る人はなく、時間はあっという間に過ぎた。幹部会議に合わせて80近くあった委員会を、施設基準の維持のため本当に病院経営上必要なものに絞り、20程度に減じた。

委員会を廃止した代わりに、院内に「室」をつくった。この室は、自分の本職以外で、病院のためになる仕事を自分の意思でやりたい人たちによって構成されるもので、以下の条件でつくられたものである。その条件とは、①室づくりを希望する者は、その目的と規約と構成メンバーをつけて院長に提出する ②数人で形成される(多くは5~10名程度)③院長が承認すれば正式な室となり予算配分がなされる ④年に1回、室の行動状況、成果の報告会を行う ⑤室の存在意義が承認されればさらに室は継続される、というものである。

承認した室は、人にやさしい病院推進室、クリーンアップ対策室、ボランティア室、国際協力室、医療機器管理室、NST室、ホームページ運営室、図書室運営室、地域医療連携室、地域医療研修室、緩和ケアー対策室、救急運営対策室、手術室運営室、職員学生教育室、情報システム管理室、診療情報管理室、患者サービス推進室、5S活動推進室、院内感染対策室、RST室、医療安全管理室等だ。これらには、地域連携室、診療情報管理室など、病院運営機能上病院内に設置されたものと、多少メンバーが異なる以外は違いのないものもあるが、そこで働く人たちが自由に勉強・研修する予算措置をしたところに大きな相違がある。

教育・研修は病院としては重要なものだ。これには決して予算を惜しんではいけないというのが、私の基本的な考えである。ただ、医師・看護師の場合、学会出張をすべて公務にすると、人によってはとんでもなく多額になることがあるので、ある程度の上限を決める必要はある。

独立行政法人国立病院機構の人事決定権は、基本的には本部にある。特に幹部職員の人事には本部の意向が強くはたらく。医師では診療部長、医長の数、事務職では課長の数、看護職では看護師長の数などの制限もある。しかし、その数・人事はしばしば病院運営には適切でない場合がある。そのため私は、自院独特の人事を行った。いわゆる院内人事である。例えば、院内医長を数名つくった。また、事務で経営上どうしても欠かせない人を課長に、優秀な師長を副看護部長に抜擢した。病院職員には、院内においては機構の人事よりも院内人事を優先することを周知徹底した。制限の多い機構においても、やろうと思えばこの程度のことは実現可能なのだ。

第19条　人にやさしい心を育てるのが良い

本院の理念は「人にやさしい病院をめざして」である。理念に関しては、理念の項で述べたので詳しくは述べないが、人にやさしいとは、相手の身になって、相手のしてほしいことをする、ただし理不尽なことはやらないことだと思う。前述の人にやさしい病院推進室やクリーンアップ対策室、ボランティア室、5S活動推進室などでは、常にこのことを念頭に置いて活動した。

新人の宿泊研修の大きなテーマにも、「やさしい心を育てる」は常に入っていた。人をやさしくもてなすことも需要だ。

私は就任早々、病院中に生花を飾ることを提案し、実行してきた。配達された花を主に看護助手の方々が生け替えて病院中に配置してくれた。ここまでは一般的なことだが、多くの人はこの花は何であろうかと知りたがる。しばらく経つと知らず知らずのうちに、当初なかった花の名前を書いたカードが花瓶の下に置かれるようになった。これこそが思いやりの心だと思う。

一般的に癒しを求めて来られる病院においては、患者に笑顔でやさしく語りかけ対応するのは当然で、この教育は最も重要だ。しかし、それ以外ところで、職員一人ひとりがやさしくなることが必要だと思う。それは、やろうと思えば病院の至るところ、どこでもできる。そのことを認識してもらうことが必要である。

第20条　楽しめる病院を目指す事が重要

今、多くの病院では週休2日が徹底してきており、1週間で5日勤務、2日休暇となっている。一般的には5日間のハードワークのために、2日間の休暇をいかに楽しく送ろうかと考える人が多いかと思う。これが間違いだとは思わないが、よく考えてみると、２日間より５日間を楽しく送れればその方がより良いと思う。

本院でのある調査結果だが、楽しく働ける病院の５つの条件とは、上位から、①人間関係がうまくいっている病院、②誇りが持てる病院、③給料がよい病院、④きれいな病院、⑤福利厚生のよい病院、であった。①には、上下関係のみならず、他職種との関係も含まれていた。②には医療レベルを含む医療の質が大きく関係していた。④は建物そのものだけでなく、内部の環境整備の問題も含まれていた。⑤は休暇、病気などに対する配慮のみならず、病院の地理的条件、職員駐車場の問題なども含まれていた。これらはすべてもっともなことで、当然その方向に向かって進める必要がある。

おわりに

在任中、全国色々なところから講演を依頼された。講演後に、〝先生の病院は何故そのように順調にいっているのですか？〟と聞かれることがよくあった。その時は、常に〝これは全職員が一丸となって同じ方向に向かって進んでくれた結果である〟と答えた。

その当時、ありがたい事に私には多くの協力者がいた。あらゆる面で私を支えてくれた副院長三河内弘君、病院収益トップの整形外科を担って昼夜頑張ってくれた中原進之介君、増え続ける手術に愚痴を言わず全面協力を惜しまなかった麻酔科医長谷口正廣君、質の高い年報づくり、院内研修など医療の質を高めてくれた臨床研究部長山内芳忠君、研修医集めおよびその教育に尽力してくれた佐藤利雄君・大森信彦君、病院のイベントを全て仕切って楽しい病院づくりに尽力してくれた後藤隆文君、岡山医療センターの歌を作詞・作曲してくれた臼井由行君、地味な仕事でありながら図書係として本の充実を図ってくれた太田康介君など、全ての科の医師達がそれぞれの立場で全力で協力してくれた。

また、新人が多くをしめる大所帯の看護師を一つにまとめて激動の時期を乗り越えてくれた看護部長池田由利子君、看護学生定員増の件で私とともに機構本部と向き合った副学校長大原幸子君、経営のための簿記を一から手解きをしてくれた企画課長兼生夫君、しばしば院長室を訪れ、全国の医療情報を詳しく知らせてくれた特任課長故厨子明彦君、各科の収益評価に必要な消耗品の調査のため手術室のゴミ漁りを緻密にやってくれた事務職員沖野昭広君、院内発表会の昼食用の美味しいパン選びために市中のパン屋を巡ってくれた管理課長矢後万里男君、非常勤でありながら全ての医局員の面倒を見てくれた国末輝子君など、全ての職員が同じ方向に向かって進んでくれた。わずか6年間であったが、病院経営が非常に順調に経過したのは、これら全職員の協力があっての事だと思う。一緒に働いてくれたすべての職員に心から感謝の意を呈したい。

第5章

障がい者施設に新しい風を——旭川荘の思い出

２００９年（平成21年）の秋ごろ、当時の旭川荘名誉理事長江草安彦先生から食事の招待を受けた。大先輩からのお声掛けで、何事かと思ったが喜んで伺った。その席で、退任後は是非旭川荘に来ないかというお誘いを受けた。翌年3月で岡山医療センターの院長を退任することが決まっていたのを先生はご存じだった。

50年間勤務医を続けてきたこともあり、家族と少しゆっくりと休みたいという気持ちがあったので、一度はお断りした。しかし、その後も江草先生から「自分の好きなように働いてくれればいい」「岡山医療センターに手術に行ってもいい」「もし時間がとれれば、旭川荘関連の施設を巡って何か必要な事、改善すべき事があれば、言ってくれればいい」という好条件を提示された。かなり強力に誘われ

旭川荘

た事もあり、お世話になる事にした。

具体的には週1回、岡山医療センターで外来・手術をしながら、特別顧問として旭川荘に勤務する事になった。専属秘書をつけていただき、立派な部屋も与えられた。週２日ぐらいは机の前に座って仕事をしたが、その他の日は旭川荘が有する約80の施設を順番に巡ることとした。同時に全国の障がい者施設を見学し、これからの日本における障がい者施設のあり方を考える機会が持てた。

江草先生からは赤字経営で困っている高梁市にある成羽病院の立て直しも依頼され、月に２回程度行くようになった。成羽病院では非常に優れた森脇洋吉院長および芳賀佳子看護部長の協力があり、２００９年（平成21年）度（私の赴任の前年）７０００万円であった赤字が２０１０年（平成22年）度は２０００万円の赤字となり、２０１１年（平成23年）度は３００万円の黒字になった。

旭川荘は医師不足で困っており、江草先生から改善の方法はないかと相談を受けた。これに対して、この障がい者医療を若い医師の研修に組み込むために（特に女性医師の働きやすい場所としての）、研修プログラムを作成した。

いずれにしても多忙な岡山医療センター院長時代から、急に自分の時間が多く持て、自由に好きな事ができる状態であった。

ちょうど赴任後1年を経たころ、一つの出来事があった。国から各県に50億円ずつ支給される、という事である。県としては公募でアイデアを募り、良いところにそれを配分するとのことであった。私に立案の依頼が廻ってきた。1年間勤務しており、旭川荘の内情も少し理解できていたので、2点を含んだ案を考えた。一つは児童院と療育園の融合である。旭川荘には設立当初から小児科側（児童院）と整形外科側（療育園）がどちらも独立した形で動いている。これらが機能的に統合できるのがよいと考えた。そのためには療育園と児童院を廊下で結べる位置に建物をつくることを考えた。何度も旭川荘内を歩き回り、2施設を結べる位置に新建物をつくることが起案できた。

しかし、これには従来ある建物を取り壊す必要があったが、末光茂理事長の理解で可能となった。もう一つは、今後の日本の重症心身医療をリードできるようなものをつくるべきと考えた。建物のみならず内部設備の充実である。これには全国行脚が役立った。今後の重症心身医療は家庭でのケアが主流となる、そのためには、家庭に帰るための訓練施設が必要になる。家族と同居して訓練をする設備に加え、退院後に自宅から通ってきた時に快適に訓練がしやすい設備が必要だ。退院後は緊急事態が生じる可能性があるので、障がい者救急医療態勢の整備も欠かせない。雨天時、車で来院されたとき、雨に濡れずに施設に入れる駐車場も設けたい。それらを含めての企画案を提出した。

ありがたいことに、岡山県では最優先事項に認められ、概略8億5000万円の資金援助が得られる事となった。その後、建築士と本格的な設計図をつくり、建築がある程度軌道に乗った時点で旭川荘を退職する事になった。その中でせっかくつくるなら〈日本一の障がい者用トイレ〉という意気込みから、障がい者が身体を横たえたままでできる最高のトイレにこだわった。同僚の青木清医師と一緒に大阪のＴＯＴＯ本社にトイレを見学に行った事は今でも懐かしい思い出である。

もう一つこだわったことがあった。研修医師の募集に際しては、障がい者施設はどうしても若い医師から敬遠される傾向がある。それには施設の名称も重要だと考えた。そのため名称を旭川荘療育センターではなく、旭川荘療育・医療センターとする事にした。同じようだがこれは略称にすると大分異なる。重症心身（療育）施設はRehabiritation Center であり、医療施設ではなくMedical Center である。そのため名称としてはAsahigawasou Medical-Rehabiritation Center ではなく Asahigawasou Rehabiritation-Medical Center、通称略で旭川荘医療センター、またはAsahigawasou Medical Center にしたのである。

２年間、旭川荘関連施設で障がい者のために一生懸命に働いておられる人たちと接し、ゆっくり話ができた事は私にとって忘れることができない経験であった。今となればすべてが楽しい思い出である。

第6章

故郷で苦い思い——尾道総合医療センターに赴任して

私は2012年（平成24年）4月から概略1年間尾道総合医療センターに籍を置いた。この1年は私にとって必ずしも楽しい思い出ではなく、激動の1年間であった。ただ、今となっては私の人生にとっては良い経験になったと肯定的にとらえている。その苦難時代があったからこそ現在の私があると前向きに考え、苦い思い出ではあるが、真摯に振り返ることにした。

Ⅰ　尾道総合医療センター管理者に就任の経緯

2011年（平成23年）8月から12月にかけて、尾道市副市長から市立病院事業（尾道市民病院・みつぎ病院）の管理者に就任してほしい、との要請があった。その後、市長が当時の職場（社会福祉法人旭川荘）まで来られ、全面的に協力するからぜひ尾道市病院管理者に就任してほしい、との要請を受けた。

その当時、私は旭川荘の職員であり、今後の人生設計も考えていたので、お引き受けするにあたり幾つかの条件を提示させていただいた。尾道市にある社会福祉法人理事長の併任、NPO法人中国四国小児外科医療支援機構理事長の併任、岡山医療センターを含む他病院への診療援助、国際医療ボランティア活動のために国外に出ることなどである。この中には公務員として、一見難しいかと思われるような条件もあるが、これらすべてを快諾していただいた。私は高校生までは尾道で過ごし、尾道北高等学校の出身である。さらに過去30年間、尾道市夜間救急の小児科医師の派遣を担ってきており、私にとっては、尾道市民病院は愛着のある「ふるさとの病院」であるので、「ふるさと尾道のために恩返しを」の気持ちでお引き受けさせていただくことにした。

副市長には、私の病院の経営方針（医療経営雑誌：２００９年（平成21年）５月号、医療経営雑誌：２０１１年（平成23年）２月から１年間連載）を示し、市長・院長にも見ていただくようお願いした。

私の招聘理由は、尾道市病院事業をこの度新たに地方公営企業法全部適用にするので、その健全経営のためと理解していた。

Ⅱ　就任当時の尾道市民病院における状況とその後の対応について

以下に管理者として赴任した時の状態、問題点などについて述べる。

1　尾道の小児医療態勢および市民病院の小児科医師の問題について

尾道市民病院の小児科医師は数年前までは複数であったが、小児科医師の減少により、岡山大学からの派遣は1名のみとなっていた。同様にみつぎ病院も岡山大学から1名の派遣があったが、派遣が中止となり0名であった。このような状況の中で、２０１１年（平成23年）10月頃（管理者赴任前）、小児科医師の件で副市長・尾道市民病院院長から相談を受けた。岡山大学小児科学教室から、「小児科医師が尾道市民病院での勤務をいやがっている、その理由は仕事がハードすぎるからで、小児科医師が疲弊している。夜間救急を止めないと医師派遣を中止する」と言われている。どうしたら良いであろうかというものであった。

よく聞いてみると、市民病院のシステムは夜間救急の小児の患者が入院になった時、原則的にすべて市民病院の小児科医師が対応する。そのため市民病院の小児科医師は３６５日の待機が必要である、とのことである。これを聞いて尾道市民病院の小児科医師に対しての配慮のなさに驚いた。これなら、辞めると言われても仕方がない、と考えた。そこで、30年前から尾道市民病院の夜間救急の小児科医師の派遣に関与している私ができることとして、早急に夜間救急医師に依頼し、夜間に入院が必要な場合、①軽症例は朝まで救急室で救急医師が経過を見ること、②重症な場合はＪＡ尾道総合病院に入院を依頼すること、とし、市民病院の小児科医師を夜間に呼び出すことのないよう配慮した。これにより小児科医師の負担の軽減を図った。この軽減策を実行したにも拘わらず、岡山大学小児科学教室の姿勢は変わらず、理不尽にも夜間救急を辞めない限り医師は派遣しないというものであった。

私は尾道市の小児医療を考えると夜間救急の中止は選択肢として考えられなかった。一方、尾道の夜間の小児救急は全国的にも珍しく非常にうまく機能していた。日本の多くの地域で小児科医師不足問題が深刻であり、たらい回しや、救急病院に到達するまでの距離・時間が問題となっているが、尾道では市民病院に夜間救急を併設する形で運営することによってたらい回しがなく非常によく機能している。これは30年前から、歴代の行政・病院長・夜間救急担当者の努力によって築かれた結果であり、高く評価されるべき事柄である。この素晴らしい態勢がなくなると大変なことが起こることを、副市長・院長に説明した。もっとも懸念することは、この夜間救急の閉鎖は単にその場所の閉鎖に留まらず、尾道地域の小児医療の崩壊に繋がる可能性があると考えたからである。おそらく、中止すると、24時間すべての小児救急をＪＡ尾道病院が一手に引き受けざるを得なくなり、今のＪＡ病院の小児科医師数では、救急専任を置くことは不可能なので、当直医が対応することになる。準夜帯（17時から24時まで）ならまだ良いが、深夜帯に１人でも２人でも患者が来ると、対応は不可能となる。結果的には、ＪＡ病院においても過重な労働条件に耐えられなくなり、更に小児科医師が減少することが予想される。これこそが尾道地域の小児医療の崩壊につながる。以上により、尾道地域の市民のための小児医療を維持するためには夜間救急システムの維持は絶対条件である。そのような中で岡山大学小児科学教室から夜間救急を辞めなければ、小児科医師を引き揚げるという圧力がかかったのである。私は究極の選択として夜間救急を維持することを選択すべきである、と考えた。これは尾道市民病院の院長も同意の上のことであった。そのような状況で2012年（平成24年）年の4月に管理者に就任したため、自分の責任において小児科医師の確保に最大限の努力を払う必要があった。就任1年目の2012年（平成24年）度は、岡山医療センターからの援助による小児科医師1人のみしか確保できなかったため、私（小児科専門医）との2名態勢で乗り越えた。2013年度はNPO法人ジャパンハートの協力で小児科医師の2名態勢が確定した。これにより尾道市民病院の小児医療態勢は、少なくとも今後数年間は問題なく進む態勢が確立された。このような状況で罷免されたのである。

2　尾道市民病院の医師確保の問題

医療制度が変更されたこと、研修医制度が変更されたことなどが重なり、現在地方の中小病院の医師不足（医師の偏在）は深刻であることは間違いない。尾道市民病院の状況を考える時、330床に対し、医師数45名は必ずしも絶対的な医師不足とは言えない。事実外科医師は9名、脳外科医師は4名、泌尿器科医師は3名、整形外科医師は6名など外科系医師はかなり充実している。一方内科医師は不足しており、この充実は必要である。当然、産婦人科医師、小児科医師、耳鼻科医師などその他の領域でも医師が必要であることは間違いない。しかしこれらの状況で、〝尾道市民病院は医師不足〟と纏めるのには問題があると思う。ただ多くの職員（特に医師）が医師の増員を求めていたのでその方向に沿ってできるだけ門戸を広げ、医師確保に努めることにした。院長は内科医師なので内科の医師を集めてもらうことを依頼した。残念ながら１名の増員も叶わなかった。私自身の関係で就任１年間に小児科医師２名、形成外科医師１名、心臓血管外科医師１名の計４名の新しい医師の赴任が叶った。

３　尾道市民病院における経営ついて

私自身は病院経営には職員の協力が必要であり、特に経費を伴う諸問題はさらに周知することが重要であると考えている。そのためにはしっかりとした会議を行って事を決定することが重要であると考えた。その中心に幹部会議を位置付けた。この会議については、副市長・病院管理部長・両病院の事務部長とともに私の赴任前に４回の事務連絡会議で決定された。そこでの決定事項は、尾道市民病院幹部会議は２回／月でメンバーは管理者・院長・副院長・事務部長・庶務課長であり、みつぎ病院は２回／月でメンバーは管理者・院長・副院長・看護部長・総合診療所長・事務部長・課長である、とした。両病院全体幹部会議は１回／月程度で上記の全員をメンバーとした。当医療センターおよび各病院の方向性は、この会議で討議・決定する事を決めた。この会議は5カ月間機能したが、残念なことにこの合議制の会議とその会議の決定事項に沿って迅速に実行する手法が院長の意向に添わないとして、２０１２年（平成24年）８月29日に出された尾道市長の管理者の権限縮小指令により中止せざるを得なくなり、その後は開催することができなくなった。

以下５カ月間に幹部会議で決定し、実現した具体的な事柄について述べる。

①保育所の整備

青山は小児医療に従事しているため、子育てには大きな関心がある。特に子育て中の職員をサポートすることは非常に重要なことと考えている。その立場から就任早々に院内保育所を見学したが、その実情をみて驚いた。毛羽立った擦り切れた畳が使用されており、子どもにトゲが刺さる可能性すらある状態であった。また、母親（職員）が保育所まで子どもを車で連れて来るが、その駐車場所は雨が少し降るとすぐ水たまりになり、子どもの降車に非常に困っている状況であった。そのため、就任早々の4月12日の幹部会議に報告・決定し、床の張り替え、駐車場を早急に整備した。

②病院駐車場の整備

病院のすぐ北側の通院に最も利便性の良い駐車場は毎朝診察時間の前から常に満杯になって

いた。何故かと確認すると深夜勤務者の駐車場になっているとのことである。当然深夜勤務者には安全のため近くに駐車場が必要である事は理解できた。これらは、病院敷地とすぐ隣の病院駐車場の垣根をとり、その間にある溝（50㎝ほど）に橋を渡すことで解決することが判明した。これは市の許可があれば実現可能であることも判明した。これも就任早々の4月17日の幹部会議に提出・決定され、市の許可を得て実行に移された。それにより、早朝の来院の患者さんに最も利便性の高い駐車スペースを確保することができた。

③特に問題のあった決定事項の変更について

原則的には、赴任前に決定されたことはできる限り、そのまま実行を承認する予定であった。しかし、過去の決定があまりにも杜撰で問題があるものについては、早急に対応、変更せざるを得なかった。

手術室改修について

手術室改修に2000万円をかけて実行することが決定されていた。この改修計画では、手術室の中の1室の空調が充分に効かないため、改修するというものであった。よく聞くとその部屋だけの空調が悪いのだが、上部階までのダクトを取り替える必要があり、その費用が2000万円かかるというものである。常識的に1室の空調を直すために2000万円は高いと思い、院長・事務長に話を聞いたが、その状況が理解できておらず、院長も一度もその現場を見ていないと言う。業者の言いなりである。最終的に私が現場を見て、業者と交渉し、結局300万円で満足できる改修ができた。

外来相談室設置について

外来での循環器内科を含む診療のための相談室を、病院の玄関の自動ドアがあるすぐ横に、建物を増設してつくる。そのための工事費が800万円で決定されていた。病院の表玄関の横に飛び出す形の部屋を作ることは美的感覚からもまた採光の面からも受け入れ難かった。そのため機能的に目的が果たせるスペースを外来内に探し、確保することができた。その改修費用は計画の半額以下であり、病院の表玄関の対面を保つことができた。

上記の保育所の整備、駐車場の整備を含め、これらはすべて就任わずか4カ月以内の出来事であった。

④その他、改善に向けて進行中であった事項

医局の整備、職員談話室の設置、解剖控え室の改築、管理栄養管理室の整備など比較的低予算の範囲内でできることが、あるいはしなければならないことが多数あり、少しずつ前に進めつつあった。

病院経営はお金を儲けるばかりでなく、いかにうまく使うかである。この規模の病院においては、部署からの申し出があっても、それを盲目的に受領するのではなく、現場に足を運んで、申請者の言うことをよく聞き、必要性を確認して行動・実行することが重要であると思う。

4　院内催しものについて

任期中に院内研修発表会、宿泊研修、病院まつりなど管理者が提案し実現した種々の行事がある。そのうち、宿泊研修と病院まつりを紹介する。

①宿泊研修

宿泊研修とは土曜日の午後から日曜日の午後まで、基本的には自主参加の宿泊研修である。テーマを決めて発表、ロールプレイングなどを混ぜて討論し、夕食を共にし、その後ゆっくりと話す時間を持つ研修会である。無記名の感想、評価点も良好で、その時の写真から判断しても尾道市民病院院長を含め皆が楽しんだ様子が窺える。私は病院の経営状況の真実の現状の話をした。参加者評は、尾道市民病院の厳しい現状を知り、危機感を改めて感じた。一人一人が努力をして病院のためにできることをコツコツとすることが大事と考えた。土日を使っての研修より平日の勤務時間内にしたほうがよい、などの意見があったが、終了日のアンケートでは、良かったという肯定意見の方が圧倒的に多かった。この宿泊研修は青山が岡山医療センター院長時代、および高梁市立成羽病院・特別顧問時代に20回以上行った実績があり、かなり高い評価を得ているものである。私が岡山医療センター退職後の今でも実施されている事実は、これが病院経営に有益であることを顕著に示している。

②病院まつり

古くから日本では多くの〈まつり〉が行われている。私は、そのまつりの存在意義の一つを〝危機管理態勢の構築〟と考えており、以前の病院では多くの〈まつり〉及び〈まつり的な催し〉を行ってきた。尾道市民病院でもこの催しが重要と考え、幹部会議で提案し、了解を得て開催した。２０１２年（平成24年）11月10日10時から15時の開催であったが２００名の市民病院職員がボランティアで参加し、１５００名の外部からの参加者があるという素晴らしい〈まつり〉となった。市民病院では初めての試みであるが、その後も持続されたと聞いている。

5　病院発展に向けての環境づくり

①医師が楽しく働ける環境づくり

楽しく働ける環境づくりで重要なことは勤務する医師が楽しんで働ける状態をつくることである。そのためには診療内容の充実は重要であり、一般的に総合病院の医師は外来より入院中心の医療を好む傾向がある。収益のみを考えると、外来を重視する方が有利であるが、あえて入院重視の方向性を推奨した。

②研修医を集める

研修医のあふれる病院は活気があって素晴らしい病院となる。その点において、尾道市民病院規模の病院が研修医を集めるためには、総合医の育成ができる態勢をつくることが最良の方法であると考えた。そのためには、救急医療態勢整備・維持は必須であった。尾道市民病院は全国ではまれに見るほど夜間救急が充実しており、特に小児の救急医療は全国どこでも困っているのに、30年間もうまく維持できていたことは驚異ともいえる。この救急態勢はぜひ維持すべきであると同時にこの良さを外部にアピールすることも研修医確保には重要な要素である。そのため、２０１２年（平成24年）度は私の前勤務地である岡山医療センターに働きかけ、延べ８名の初期研修医が研修に来ることになった。今までは初期研修医はほとんど０に近い状態であった。このように研修医が尾道市民病院に来る機会をつくり、そこで良い研修ができることを示すことが将来の医師確保に繋がる可能性が高い。またみつぎ病院は地域包括ケアの発祥の地であり、ぜひ研修医には見せたい病院であった。両病院の管理者として、市民病院に来た研修医には、できるだけみつぎ病院を見学するようにも指導した。

③生活・病院環境の整備

尾道市民病院は公務員としての給与は悪くない。しかも、必要により医師の兼業も可能である。宿舎も整備され、良い居住環境といえる。ただ、近くのＪＡ尾道総合病院に比べると病院内環境が随分見劣りがするので、医局の整備およびＸ－Ｐ・医療資料の保存場所確保などの具体的な検討も始めた。

④消耗品に対するフリーマーケット方式の導入

病院の一角にフリーマーケットスペースをつくった。病棟・外来の必需品、特に消耗品などを管理場所から持ち出すのに一つ一つ事務管理者からの許可を要した。しかしこの方法は人件費がかかるだけでなく、病棟に管理場所を必要とする。これらの解決には必要と考えた職員が自由にいつでも取り出せるシステムをつくることが重要である。病院の一角に消耗品などはいつでも取り出すことができるスペースをつくった。これには職員の倫理観が必要であるが、効率的な運営を行っている多くの病院で成され良好な成果を上げていることであり、経営には重要なことである。

⑤職員に夢を

楽しく働くためには、病院の将来の夢あるビジョンを示すことは重要課題である。同時に短期的には日常診療に必要な医療機器を購入できる状況をつくることも必要である。これらにはどうしても、健全な病院経営が必須である。そのために職員には病院の現状をしっかりと認識してもらい、それらの対応に必要なことを行ってきた。また、病院の建物の老朽化は防ぐことができないものであり、病院新築をも視野に入れた将来計画を示した。これらは病院幹部会議では何度も話題に出したが、職員に広報すべき院長の所で止まっており、充分な広報が成されていなかったばかりでなく、私の真意が院長の都合の良いように曲げられて院内に流されていた。

⑥長期的展望に立っての尾道地域の医師づくり

地域の住民のために、尾道で働く医師を増やすことは重要なことである。すでに実施されている、医学部入学者への奨学金制度も重要と考えた。しかし、奨学金を出すだけで、フォローが成されていなかったので、まず奨学金受領者を集めて懇談会を持つことから始めた。

さらに長期的な視野に立つと尾道で医療をする良い医師を確保するためには尾道出身の医師を増やすことである。現在尾道市民病院で働いている医師には尾道地域出身者が多いことはそれを物語っている。この実現のためには高校生に医療の面白みを教えることが重要であると考えた。私は就任当初、私の出身校である広島県立尾道北高校の校長に、将来ある高校生に医療の面白さを話させていただくようお願いした。校長も歓迎してくださり、生徒を相手に2回の講義をさせていただいた。幸いにして、生徒たちが講義を非常に喜んでくれたことが、生徒たちの講義印象文として残されている。また、地域においては医師のみでなく看護師不足も深刻な状態である。これらを含めて、市民病院の将来構想の一つとして看護大学の設置を考えた。

6　看護大学の設置（看護学部の新設）について

管理者就任当初、市長の面談で尾道市立大学に看護学部をつくることを提言した。市長も前向きに考えるとのことであった。もちろん諸条件があるのですぐ、できるとは思わない。ただ以下に述べる状況から前向きに考えることは良いことであると考えている。

設立の利点としては、尾道市は看護学部をつくるには最も適した環境にある。①立地条件として、尾道市立大学がすでに存在しており、敷地も充分にあり、その中に看護学部を新設することは実現可能である。また、②尾道地方は実習施設が充実している。看護学部の設立・維持のために最も重要な条件は、実習施設の確保である。幸いにして尾道は尾道総合医療センター（市民病院・みつぎ総合病院）・JA尾道総合病院の3つの総合病院があり一般病床は1000床である。それに加え、みつぎ病院に附属医療福祉施設が併設されている。これらをうまく利活用すれば実習施設の確保は容易である。さらに③従来の看護学校との良好な関係は重要である。個人的・非公式にＪＡ尾道病院長及び前尾道医師会長に話をしたところ、看護学部設立に好意的であった。実際に現在のＪＡ尾道総合病院の規模の看護学校は経営が非常に難しい。そのため計画が進めば必ず歓迎されるとの確信があった。また、④多くの看護学生は大学指向である。現在看護師教育のレベルアップに伴い、看護学生教育も大学指向の傾向が強くなってきている。そのため大学受験志望率も他の学部に比べ、倍率が非常に高い。そのため、良い教育をすれば志望者は多いので経営上の安定が図れ、黒字運営は成就可能である。さらに⑤医師の確保へ貢献できる。看護学部を設立すると当然、医師の教授を必要とする。医師には教授志望が多いので、この教授を市民病院と兼任にすれば、市民病院の良い医師の確保に繋がる。また、⑥看護師確保への貢献も可能である。尾道出身者に多少の優遇制度を採用すれば、本来の目的である看護師確保に繋がる。以上、良いことばかりのようであるが、欠点事項としては、①建築費用が必要　②他の学部との調整　③現在ある看護学校との調整など、幾らかの問題点が残る。ただ、私自身は前任病院で、赤字体質の看護学校の看護学生数を１・５倍に増員し、黒字に転換した実績があるので、上記の条件を考えれば比較的容易に健全運営ができると考え、前向きに検討することが良いと主張した。

7 稼働率（ベッド利用率）の考え方

健全な病院経営を考えるとき、ベッドの稼働率（利用率）は85％以上必要であることは周知の事実である。しかるに尾道市民病院は75％前後である。これではどう考えても、「健全な病院運営は成り立たない。これが病院の赤字体質の原因のひとつである」と管理者に就任以来、病院幹部にずっと繰り返し話してきたが、「市民病院のような地方公的病院においてこの状況は仕方のないことだ」という理由で、最後まで納得してもらえなかった。

彼らの主張では、現在市民病院はベッド数292床で運用しており、それの85％（248床）はほぼ達成できているのでこれで良いというのである。

しかし実際には市民病院の正規のベッド数は330床なので、スタッフ・器材もそれに相応して投入してある。そのため経営上必要な稼働率とは330床の85％（280床）であり、稼働病床数248床（稼働率75％）では健全経営は成り立たない。

私は、部屋の状況、患者の状況、スタッフの状況などを考慮し、使用病床を減じて運用することが間違いだと言っているのではない。しかし、330床の病院で医療を行うには、280床以上を稼働しないと、健全経営は難しいと言っているのである。今後、退職引当金を考慮に入れると、少なくとも平均して280床以上の病床を稼働しないと健全経営に至らないだろう。このことは、資料として病院の会議にも提出している。

（なお、これには別の問題もあった。尾道市民病院の許可病床は330床で、この330床を根拠に国から尾道市を経由して交付金による援助を受けている。然るに、市民病院は292床を病院独自で運用可能病床と決めて運用し、これを公表している。国から市民病院に対する交付金は330床運用として算出されているので、突き詰めれば交付金の不正受領になりかねないのではなかろうか？）

8　幹部会議で真剣に議論した寄付金問題に関して

一般的に大学の教授が学会を開催するとき、その経費の一部をいわゆる関連病院に求めることはよくあることである。大学から医師派遣を受けている私立病院ではしばしばその要求に応じている。しかるに公的病院でそれに応じるかどうかは議論のあるところである。学会という公的要素が強いものであるとしても、私は基本的には公的病院が一部の教授からの寄付に応じることはかんばしくないとの考えである。また、学会には私的要素が強い学会もあり、その区別が難しい。その理由のひとつは、大学では多くの教授主催の学会がある。もし、一部の教授主催の学会にのみ援助をしていることが他の医師派遣をしている教授に知れたとき、人間関係を悪化させる危険性が強い。そのため、もし支出すると決めたからには、今後すべての関連教室からの依頼を受けねばならない。

そのような状況の中で、みつぎ病院が広島大学のある教授から学会寄付の依頼を受けた。みつぎ病院と広島大学は特殊な関係があり、今までの経緯もあり、まず山口昇前管理者に相談した。山口氏は私の思うように、との意見であった。それを受け、みつぎ病院の幹部会議にその議題を提出した。幹部内では賛否両論があった。賛成意見は〈お世話になっている〉ので出さないと気まずいことになる、であり、否定的意見は、この際市民病院両院が統一された組織になったのだから、尾道市民病院が出さないのなら、行動をともにする方がよいというものであった。（尾道市民病院の幹部会議で確認したが、今まで出したこともなく、今後も出さない方針にする方が良いことが決定された）。その決定時期はいつまでかを確認し、それまで十分な討論時間（思考期間）をかけて話し合うこととした。みつぎ病院の幹部会議で、6月20日から8月15日まで4回にわたり討論し、一応尾道市民病院と同様な行動をとり、原則的には出さない方針とした。しかし最終的にはみつぎ病院の院長の要望と山口氏の強い要請があったため、その意見を尊重し、今回は管理者の特別配慮として拠出することにした。少なくともみつぎ病院の幹部会議では真剣に皆で討論した事柄である。

9　二転三転したコンピュータ導入に関して

病院の電子化（以後ＩＴ）をどのようなものにするかは重要な事柄である。基本的にはＩＴ

の内容（仕様）をどうするか、どの程度まで資金投資ができるかを考える必要がある。私が就任時（２０１２年（平成24年）４月）ＩＴに関しての市民病院からの報告は、①医事の電子化との関連もあり、２０１２年度中に機種を決定する必要がある。②本院の機種選択委員会の意見は、富士通またはＮＥＣのような大手が良い。③機種選定委員会で決定したにも関わらず、事務部の意向で経費の安いアピウスでほぼ決定している。というものであった。

私が、ＩＴにどの程度の経費をかけるつもりがあるのか、どの程度の経費までかければると見ているのか？　と院長・事務長に尋ねたところ、経費の基準がなく安い方が良いと考えている、との返事のみであった。

私のＩＴを導入する基本的な考え方は、①少なくとも働く人にある程度の満足感を与える仕様でなければならない、②決して安い事が良い事になってはならない、③そのためにはきっちりと仕様の良否が検証できなければならない、④経費をいくらまでかけて良いかの根拠・指標を持って交渉に当たらなければならない、である。その手法としては、まず機種選定委員会を中心に、企業から実際のプレゼンテーションを受け、良いものを選別し（優先順位を付ける）、価格交渉を行い、できるだけ良い機種が予定価格内で収まるように交渉する。今までの私の病院経営の経験から、予定価格は1床あたり２００万円が限度と考えており、その範囲で交渉する。仕様の検証、価格交渉を含めると、このＩＴの選択は専門業者に依頼するのが賢明であるとの考えを話し、今までのアピウスにとらわれることなく、広く機種選択をするように幹部会議で指示した。２０１２年（平成24年）８月、病院幹部からアピウスに決めたいとの意向を言ってきた。病院の総意だとのことだったので、それならアピウスでいきましょう、しかし最も人数の多い看護部の意向を必ず尊重してください、また細かい仕様と今後の検証のためにコンサルタントを入れた方が良いと思う、と話した。その後コンサルタントと事務部長の間で契約が成立し、ＩＴに関しては順調に経過しているものと思っていた。しかし２０１２年（平成24年）12月になって、看護部へは全くプレゼンテーションがされていなかったことが分かった。２０１２年（平成24年）８月28日市長の指令書以来、幹部会議の開催が不能となり、院長主催の会議の議事録も届かなかったため、私の所にはＩＴに関する新しい情報は全く入っていなかったのだ。とにかく機種選定期日が迫っているので、早急な対策が必要であると考え、すぐに、ＩＴ機種選択委員会の委員長に連絡をとり、病院の機種選択委員会として早急に機種のプレゼンテーションを受け、どの機種が良いかを再検討するように話した。最終的には、病院からの要望は大手の機種（ＮＥＣ）が良いということになり、価格交渉に入ることになった。その際、多くの職員は富士通のプレゼンテーションも希望したが、期限が迫っており、概略の予算額が到底合わないことから辞退されることとなった。富士通からはなぜもっと早くプレゼンテーションのチャンスを与えてもらえなかったのか、と不満を言われたが、これは病院が甘受すべき不満の申し出であった。

注：病院のＩＴの機種選定には仕様・価格交渉・仕様の検証など多くの問題点がある。そのためこれらが充分に

分かった職員がいない場合は、委託料を支払ってもコンサルタントを入れることが有利であることは、多くの病院で実証されている事実である。

10 尾道市民病院・みつぎ総合病院の経営状況と今後の見通し

以下の概略は２０１２年（平成24年）６月の尾道市議会で報告した尾道市民病院とみつぎ病院の経営状況と今後の見通しである。これらは両病院の会計責任者と事前検討をした数字である。

①尾道市民病院の現況と今後10年の見通しの概略は以下の通りである

現在、年間経営収支報告書上は多額の国からの交付金収入を入れているので短期的には黒字経営である。ただこの黒字も年々減少しており、２０１０年（平成22年）度は3億円、２０１1年（平成23年）度は1億５０００万円であり、２０１２年（平成24年）度は５０００万円程度となる見通しである。これを踏まえて今後10年の概略は以下の通りである。

必要経費としては借金40億円、含大型医療機器購入費20億円を含んだ新築工事準備金が50億円、ＩＴ関係費15億円、退職引当金20億円、実質赤字20億円（2億円／年）で合計１３５億円となる。これに対し収入見込みは預金および手持ち金5億円、現状の交付金が入るとすれば40億円（4億円／年）、減価償却が35億円で合計80億円となる。市民病院の経営見通しを考えると、どのように考えても赤字体質である。たとえ、建て替え準備資金（30億円）を除いて甘く見積もっても年間3億円程度の増収を図る必要がある。然るに、市長・病院長・病院事務部長らすべてが何故か現状を肯定し、いくら説明しても理解を示していただけなかった。一方、比較的経営に明るい尾道市民病院の幹部職員（院長・事務部長を除く）たちは、説明により実情を理解し、病院改革案（10％アップ作戦）に賛同した。

②みつぎ病院に関して現況と今後10年の見通しの概略は以下の通りである

現在、年間収支率は100％を超えており、今後は減価償却費が現金として蓄積される可能性がある。必要経費は借金20億円、増改築工事費（進行中）10億円、保健福祉総合施設建て替え費用（含大型医療機器）15億円、退職引当金20億円、実質赤字は10億円（1億円／年）で、合計75億円である。交付金は収入としているので、見かけ上は経営収支上は黒字である。収入見込みでは、預金・手持ち金20億円、交付金が入るとすれば30億円（3億円／年）減価償却費25億円の合計75億円である。これには現状と同じ交付金が今後も続くことを前提にしているが、①現在のベッドの稼働率90％以上が持続されること②日本に誇る地域包括ケアの推進と広報を行うこと、が実現できれば健全経営が可能であり、経営見通しは明るい。そのため、みつぎ病院の経営に関しては現状維持でよく、問題が起こらなければ管理者は口出しする必要がない、と判断した。

11　尾道市議会での報告

２０１２年（平成24年）６月12日に尾道市議会にて管理者就任３カ月時での尾道総合医療センターの現状とそれを踏まえて今後の方向性について話させていただいた。

①経営収支から見た現状報告と今後10年の見通しについて

前項で延べたごとく、尾道市民病院は経営上非常に厳しい状況におかれている。今後相当の努力をして経営改善に努める必要がある。全国自治体病院の90％以上が赤字の現状があり、経営は容易ではないが、管理者としても努力を惜しまないのでぜひ市民の皆様の理解と市長を始めとする議員の皆様の協力をお願いしたい、と話した。

一方、みつぎ総合病院は現状の交付金を授与が前提となるが、経営見通しは比較的明るい。今後は①現在のベッドの稼働率90％以上が持続されること②日本に誇る地域包括ケアの推進と広報を行うことなどを行えば、健全経営が充分に可能である、と話した。

②病院経営のあり方について

今後尾道総合医療センターのあり方として管理者は以下のように考えている。

良い医療を追求する

市民病院の存在意義を考える時、非採算部門といわれている救急医療の維持・充実は重要事項である。また、高度医療の実施に努力し、可能な限り尾道で完結できるように推進したい。しかし、それだからといって市民の負担を増やすことは好ましくない。できるだけ経営的に安定した形で病院経営を行う必要がある。

働く人に夢を（病院建て替えを視野に入れて）

ＪＡ尾道総合病院と比較すると建物の老朽化、設備の不備な病院であることは間違いない。外観よりは内容が重要であることは当然であるが、患者さんにとってはきれいな設備の整った病院の方がより好まれることも間違いない。それは働く職員にとっても同じことであり、働くエネルギーの元にもなり得る。そのために病院を新しく建て替えるという目標ができれば、職員の働く意欲も向上する。もちろんこれは健全な病院運営の見通しが立った上でのことであり、そのため職員は日々夢に向かって努力をすることが望まれる。

職員の意識改革

病院に関わらず、公的機関の職に就いている者は多かれ少なかれ『親方日の丸』体質を持っているものである。就任早々、幹部職員から始めて１００人面談を行った。『親方日の丸』感覚を持った職員には、可能な限り自分たちの病院は自分たちでやっていく意識改革の必要性を話した。また、職員の宿泊研修において、現状把握と今後の改革案について話した。

市へのお願い

市民病院においては、市からの職員が循環して勤務している現状があるにも拘わらず、市民病院で退職した場合は、市民病院から退職金を支払わなければならない可能性がある。一方、市民病院としてはその職員数に応じた退職引当金を積むことが法律上決まっている。この退職引当金は高額であり、病院経営上は重要な意味を持つ。そのため、市議会において「市の職員としては働いていた期間のものは市として負担してほしい」旨をお願いした。

両病院の協力態勢の確保

現状は尾道市民病院とみつぎ病院は患者のみならず職員間の交流はほとんどない。両病院を合わすとベッド５７０床、職員９２０名なのでそのメリットを活かした運営を行うことは重要である。そのためにはカンファレンス・手術援助などによる医師の交流、得意分野への患者の搬送などすべきことは多々ある。ぜひこの実現を果たしたい。

12　情報公開について

病院の経営の現状を、どこまで職員に広報するかには、管理者の考えによるところが大きい。私の幾つかの病院経営に関係してきた経験から、実情を職員に周知した方が良いという考えを持っている。そのため私は可能な限り、病院の経営上の情報を公開した。ほとんどの尾道市民病院の職員は間違った感覚で尾道市民病院の経営は問題なくうまくいっていると理解していた。そのような状況なので私が実情を公開したことが、のちに〝意識的に不安を煽った〟と非難された。この情報公開時代に真実を隠すことは、後に禍根を残す。これはさらに経営を悪化させる原因となる。病院職員が現状をしっかり把握することにより、皆で病院を立て直そう、よくしようという気持ちを起こすことこそが病院経営には最も重要なのである。

Ⅲ　亀裂の原因

２０１２年（平成24年）６月５日、副市長が私を訪れ、「尾道市民病院の院長が辞めると言っている、院長に辞められては大変に困る、院長を中心とした病院経営をしてほしい」と言われた。私はたいへん驚いた。４月に就任して以来、保育所整備・駐車場整備・手術室改修計画変更・宿泊研修などすべて院長参加の病院幹部会議に出し決定された上で行ってきたことだったので、院長が不満を抱いているとは全く考えていなかった。院長に気持ちを尋ねても、「副市長からお聞きの通りで、それ以上は言うつもりはない」と言われるので、取り付く島もなかった。

副市長はこの日以後、何度も私に、「院長を中心とした病院経営をしてほしい」と言われた。しかし、具体的にどのようなことを求めるのかの説明はなく、「院長は院長の権限があるので、尊重してあげてください」という趣旨を繰り返されるだけだった。

裁判になってから分かったことだが、院長は、私の着任翌日から、私の院長に対する接し方がパワーハラスメントだと考えたとのことで、パソコンに大量のメモを書き綴っていた。そのかたわら、出身の岡大内科医局に連絡をとって、不満を訴えていた。

他方、尾道市では、副市長が求められて６月４日に岡大医学部を訪れ、学部長・病院長らから、今の状態が続くと医師が辞めたり行きたがらなくなったりする、と示唆されていた。また、それ以後は市長も何度も岡大医学部を訪れて意見を交換していた。

そうするうち、８月28日、就任５カ月時に市長名で、①管理者の執務室を病院から市役所に移転すること、②院長を中心とした病院運営をすること、を指示する文書が私に渡された。

その時点で私の取ることができる選択肢は２つあった。１つ目は、市長の要求どおり市庁舎に移り、病院経営は基本的に院長に任せ口出ししない。２つ目は、そのまま市民病院内を執務場所として病院経営にあたる、である。前者を選べば事業管理者は閑職となり、ほぼ何もしないで遊びながら給料をもらうこととなる。これは尾道市民に対して申し訳ない。その当時私は尾道市から相当高額な報酬をいただいており、ふるさとの市民病院の経営改善に心血を注いでいたので、その選択は私にはあり得なかった。後者を選べば、市長の命令に従わないことになり、最悪罷免されるかもしれない。しかし私は、事業管理者として何ら間違ったことはしていないと確信していた。また、その時はすでにいくらか病院経営改善の実績が出ていたので、最終責任者である市長・副市長には理解してもらえているとも考え、まさか罷免はされないであろう、と考えていた。そこで私は、「院長が望まないなら合議制の幹部会議は中止します。しかし執務室を移す意志はない」と明言した。

その後も、副市長からは何度か「執務室を市役所に移動してほしい」と求められたが、私は姿勢を変えなかった。すると私は、２０１３年（平成25年）５月20日、尾道市病院事業管理者職を罷免された。請われて就任した病院事業管理者がわずか1年で罷免されるのは、私の知る限りでは、全国でも例のないことだ。

なぜこのようなことが起きたのかは、私の理解を超えているが、少なくとも、次のような認識の相違が背景にあったのだろう。

1　経営状況の認識の相違

私は、現状の経営方針では、尾道市民病院は維持できない、職員の意識改革を含め、今後経営改善を図る必要がある、と判断して行動した。ところが尾道市は、現在の経営状況は良好で改善の必要はない、と考えているようであった。私は自分の判断に沿った赤字体質の現状を理解してもらうため、数字で示し、相当の努力をしたが、最後まで理解は得られなかったようだ。

２　私の招聘理由

私の着任前、副市長から職員には「市民病院に管理者を置く最大の理由は医師確保である」と説明されていたらしい。しかし私は、招聘されるときには、尾道市側からはそんな話は聞いていなかったから、私は純粋に病院経営再建のために招かれたつもりでいた。尾道市側から裁判の中でも、〈管理者を置いた最大の理由は医師確保〉という主張が出てきた。こうなると、なぜ私が招聘されたのかからして、よく分からなくなってくる。この招聘理由のギャップが、院長以下の職員らとの意思疎通の障害になった可能性もあるように思われる。現実には私の赴任中に医師は３名増加したのだが——（４名の新任医師と１名の退職医師）。

３　私の手法についての理解度

私は就任５カ月で、保育所整備・駐車場整備・手術室改修計画変更・外来相談室設置変更・フリーマーケット導入などの具体的実施事項に加え、経営状況の情報公開・将来ビジョンの提示・市議会での報告などを行った。必要と信じて行ったことであり、決して性急なこととは思わないが、これについても理解は得られなかったようだ。

4　経営状況の公開

尾道市民病院の経営状況は職員にはほとんど知らされていなかったので、私は職員に病院の現状を、数字をもって示そうとした。これについても理解は得られなかったようだ。私は、実状を正直に職員に話すことから、意識改革・経営改善が始まると信じる。

5　事業管理者の権限と責任についての理解の相違

公営企業法の全部適用では、市長に任命責任はあるが、病院経営の権限・責任は事業管理者にある。管理者は病院経営に関するすべての権限を持ち、その代わりに経営の結果責任を負う。首長は、管理者に病院経営を任せるからには、その手法についても委ねるべきであり、それが「全部適用」の本旨だ。

したがって管理者は、執務場所を自身の判断で決定できなければならないし、病院経営の改善のために院長以下の職員に指示できなければならない。それができなければ、結果責任はとれない。「全部適用」とは、病院経営の権限と責任のすべてを管理者が負う制度なのだ。

私は誠心誠意、尾道市民と尾道市病院事業のことを考えて改革するのであるから、病院運営の考え方の異なる職員とは多少の対立が起こることは覚悟していた。しかし少しでもそれを避けるために、私の病院経営の考え方・手法を記載した資料を就任前に副市長を介して渡しておいた（前述）。しかし私の権限は、８月28日（就任後５カ月）の指令書で、大幅に縮小された。せっかく始めた幹部会議（就任前に副市長を含めた会議で決定されていた）も中止せざるを得なかった。

全権委任した管理者が病院改革を行っている（新しい医師が増え、医師数も増加し、経営の無駄が少なくなって順調に推移していた）最中に、首長が経営に介入し、管理者の権限を削り、罷免まで行うのは、私の理解を超えているので、論評しがたい。ひとつだけ確実に言えることは、尾道市には、「全部適用」を導入するために必要な〝覚悟〟ができていなかった、ということだろう。

私は、理不尽な形で罷免されることはどうしても納得できなかったので、あえて尾道市を相手に訴訟を起こすことにした。幼少時から育てていただいた尾道市に弓を引くことになることは苦渋の選択・決断であったが、不条理と戦うことは市民のためになると信じた。

Ⅳ　裁判およびその後

裁判については、門外漢だし理解できないことが多いので、詳しく述べることは避けることにする。私の就任後、病院経営においては無駄使いが減り、悪い方向には進んでいなかった。また8月28日以後も私は、権限を制限されたにも拘わらず、研修会の開催・IT機種選定・薬剤師人事問題など自分の可能な範囲内で粛々と仕事をしてきた。4名の新しい医師も増加した。管理者として必要な将来に対する病院のあり方のビジョンもしっかりと病院の内外に示した。私は、こうしたことから、管理者としての職責を充分に果たしていると考えた。そのため裁判では、地方公営企業法の定める事業管理者の地位・役割のあり方を考えるという正統論で争った。しかし裁判所は私の罷免を認めた。良識ある裁判官には私の主張を必ず分かってもらえると信じていたので、この結果は私にとって非常に意外であり、残念でもあった。日本の裁判とはこのようなものかと非常に良い勉強になった。私にとっては「人に恥じることなく正義を貫いてよかった」という「さわやか感」が残っている。これがその後の私の人生のエネルギーの元となっている。

V　尾道市民病院のその後

私の罷免後、私が懸念したとおり尾道市民病院の経営は急速に悪化した。私が就任する前に

45名だった医師は私が罷免される直前には48名に増えていた。しかし3年後の2015年（平成27年）には医師数は5名減少し43名となり、経常収支上も国民の税金からの交付金6億8000万円に加え、さらに市民の税金からの4億円もの追加支出が必要な状態になった。さらに2年後の2017年（平成29年）には医師数は39名となり、ベッド数は330床から290床に減少し、増額された交付金7億5000万円を受けたのみでなく市からの追加支出4億円が必要となった。これらの赤字補填のための市民の税金からの持ち出し金に対して誰かが責任を取ったという話は聞かない。最高責任者は自分の意志で物事を決める権限を持つが、結果については責任を取るべきだと、私は思うのだが。

第7章

生涯現役――「青山こどもクリニック」の開院

尾道総合医療センターの件で一区切りがついた2015年（平成27年）年4月ごろ、今後10年間をどのように生きるかを真剣に考えた。私自身は大学卒業後、臨床医として国立岡山病院に約30年間、その後川崎医科大学小児外科教授として7年間、岡山医療センター院長として6年間などと、比較的恵まれた医者人生を送ることができたと思っている。ただ、すべてが被雇用の勤務医師であり、その限界も感じていた。

医師という職業は会社員や公務員と大きく異なる点がある。70歳を過ぎてもかなり多くの所から比較的高給での求人の要請があるのだ。ただこれらのほとんどは老人保健施設の顧問的なものであり、私の今までやってきた小児医療の最前線とはかけ離れたものである。

自分の意を抑えての安定生活を取るか、苦難が予想されるが自らの好きな道を貫くか迷った。最終的には苦労を覚悟でクリニックの開業に行き着いた。幸いにして小川誠君と山田幸平君という優秀な医師の賛同を得て、72歳にしてクリニックを開くことを決意した。ただ、それには楽しく働くことができるよう、私なりの前提条件が必要であった。

まず、小児外科医として手術を継続して行う、次に出身母体（岡山医療センター）と競合しない、継続して後輩の育成を行う、学会・講演活動を続ける、国際ボランティアを継続して行う、クリニックの経営が成り立つ医療を行う、と、少々欲張りに思えるが、人生の最後の仕上げを楽しく送ろうと考えた結果だ。

小児外科医として手術を継続して行う事は、私がクリニックを開くに際し最も重視したことである。我が国においては、多くの大学教授や基幹病院の外科のトップが定年になった事で、自分の素晴らしい技術を継続することができない状況になっている。日本全体から見てもこれは大変な損失だと思う。当然ある程度の外部評価は必要であるが、自らができると判断したところまで目指す医療をやるべきだと考えており、これを行う事が、自分の楽しみでもあるのでこれを第1条件とした。

次に、出身母体（岡山医療センター）と競合しない事も私にとっては重要な事だった。岡山医療センターの小児外科は50年かけて、私が仲間と共につくってきたという自負がある。そのため、医療センターの小児外科が私のクリニックと競合して勢いがなくなっては困るのである。

持続して後輩の育成を行う点については、子どものための良い医療を追求する小児外科医の育成を目的に、ＮＰＯ法人中国四国小児外科医療支援機構を２

クリニック全景

クリニックの前でスタッフと　瑞寶中綬章受賞記念

012年（平成24年）4月に立ち上げた。現在もその理事長として後輩の育成を行っているので、これを続ける必要があった。国際ボランティアに関しては、2003年（平成15年）から岡山医療センターで始め、2011年（平成23年）からはNPO法人ジャパンハートとともに、ミャンマー・カンボジィア・ラオスで手術を行っている。これは私のライフワークの一つでもあり、同行する若い医師の教育にもなるのでぜひ続けたいと考えた。最後のクリニックの経営が成り立つ事は絶対条件であり、私の行ってきた医療のすべてを尽くして、小児医療を行うことにした。

土地探し・医院建設・看護師探し・借入金の工面など多くの問題点はあったが、2016年（平成28年）12月5日、岡山市北区田中625-8の地に小児科・小児外科・小児泌尿器科を標榜科とする365日診療の「青山こどもクリニック」を開院した。74歳の時である。

開院後、ほぼ4年を経た現在、幸いな事に前提条件はほぼ実行できている。現役として岡山医療センターで週1回の外来・手術を続け、本クリニックから岡山医療センターへの紹介は年間100例程度ある。岡山医療センター小児外科（現スタッフ：中原医長・大倉・花木・石橋・浮田・後藤・青山）の総手術数が約600例で、15～20％はクリニックからの紹介だ。非常に良い協力関係が保てている。また私自身、約80例は手術に参加している。手術には術前術後を検討するカンファレンスは重要で、週1回、2～3時間かけて行われる小児外科のカンファレンスには必ず参加している。

学会・講演活動は、種々の学会に参加している。２０１９年（平成31年）は小児外科秋季シンポジウムで特別講演をさせていただいた。２０２１年（令和３年）年には岡山で全国学会『総排泄腔異常シンポジウムin岡山』を開催する予定である。医学は学問であり、自分の考えを論文という形で世に問うことは重要である。どこまで続けられるか分からないが、年１本程度は論文を医学関係誌に投稿している。

国際ボランティアの件は海外に出始めてからすでに10年が経過した。現在までに渡航は20回を数え、参加医師数は延べ89名、総手術数は３２５例に上る。これは現在も継続しており、ク

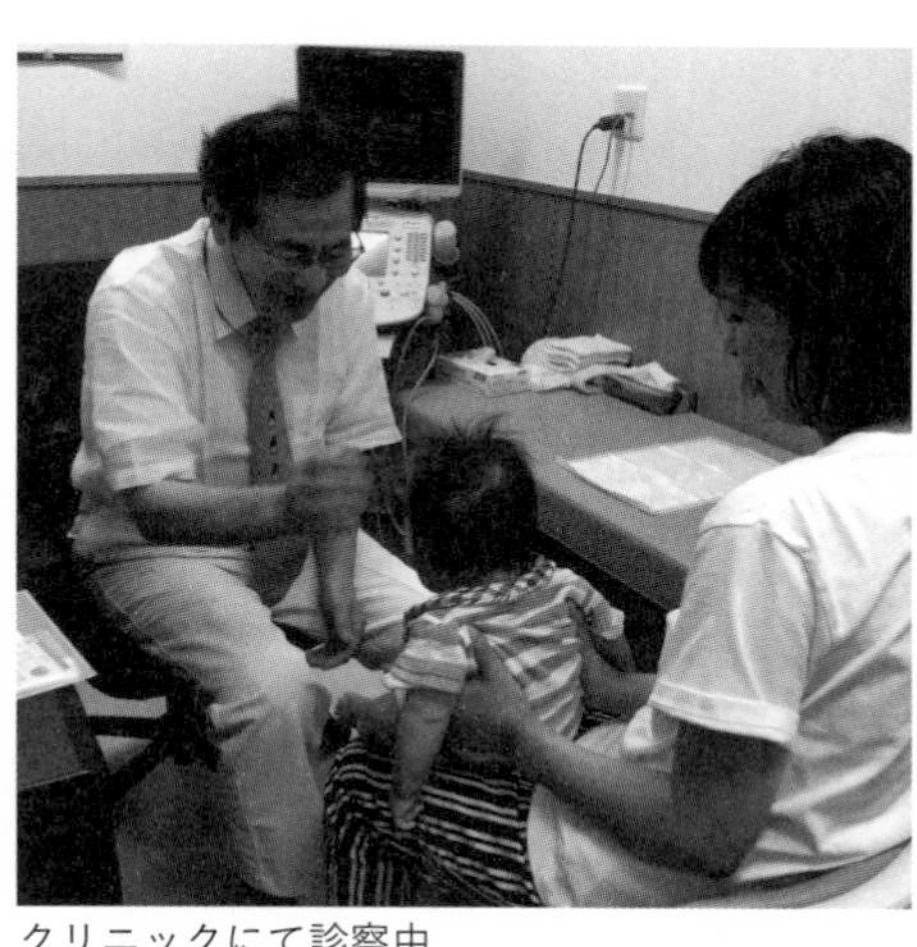
クリニックにて診察中

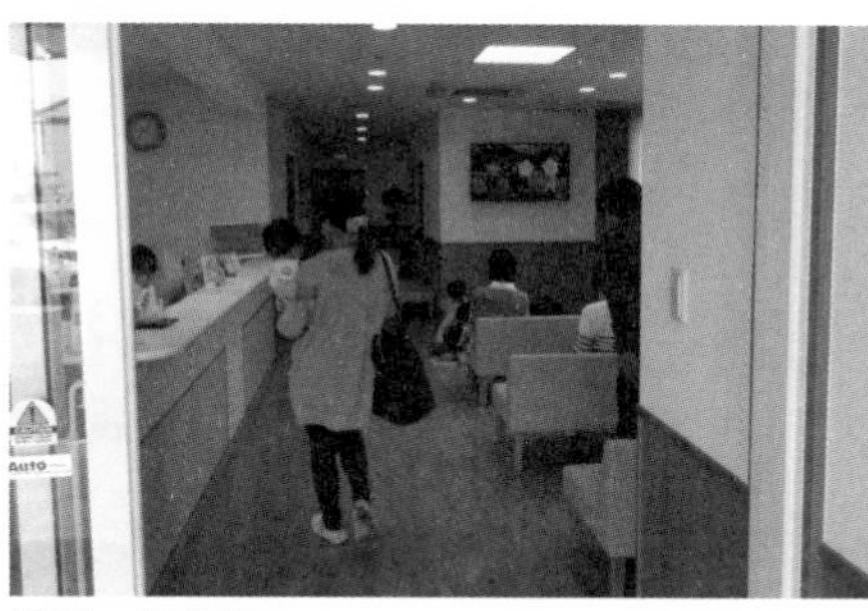
受付・待合室

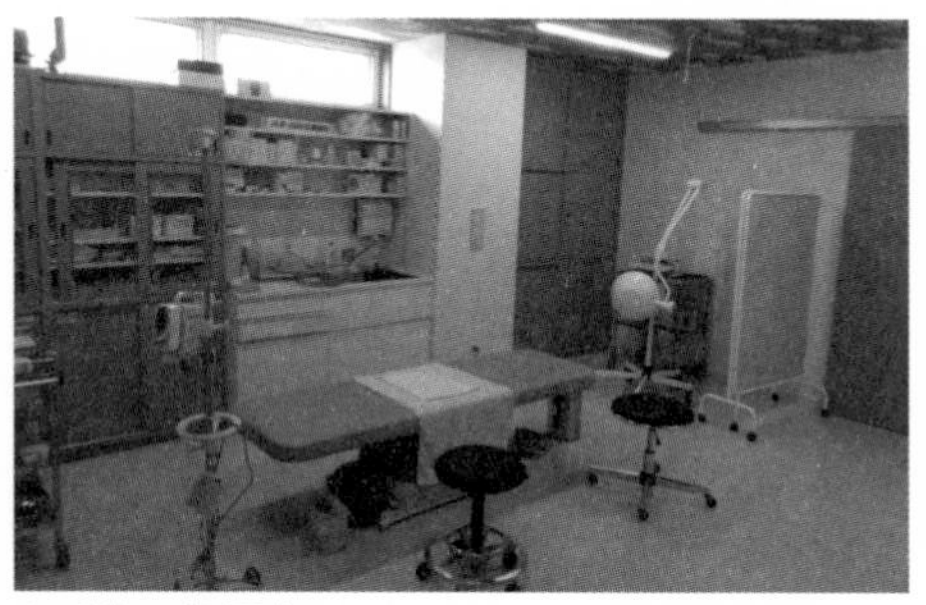
小手術・処置室

リニック開業後も年に2回程度は海外に出ている。直近の3年間は、延べ16名の若い医師と出掛け、102例の手術を行った。2021年(令和3年)はネパールからも手術を依頼され、行く予定である。医療センターでの手術・カンファレンスに加え、海外ボランティアへ同行してもらうことにより、後輩の指導にも当たっている。

経営戦略として、地域の子どもたちにいかに存在感を示すかが重要であると考え、365日診療および自分の専門領域を活かした特殊外来を行ってきた。開院5カ月で初めて1日の患者数が100名に達した。以後順調に経過し、現在は1日平均100名の患者さんに来院していただいている。

診療においては、特殊外来として便秘・夜尿外来を行ってきた。開院後、便秘外来の新患者数は1000名を超え、夜尿外来の新患者数は250名であった。同じ小児外科疾患でも大病院とクリニックでは頻度のみならず、見方も変わることが多くある事が分かってきた。これらの新しい発見を楽しんでいる。

当初は勤務医生活45年後にクリニックを開くことに不安がなかったわけではないが、良い仲間に恵まれ、好きな医療をやることができている。私自身は、現在〝青山こどもクリニック院長〟と〝NHO岡山医療センター名誉院長・小児外科顧問〟および〝NPO中国四国小児外科医療支援機構理事長〟および〝国際医療ボランティア団体ジャパンハートの臨床指導教授〟を兼務しており、週4日間は「青山こどもクリニック」での診療、週1日間は岡山医療センターでの外来・手術、年2回（概略4週間）は東南アジアに手術ボランティアに出かけている。これらが、実現できているのも、素晴らしい仲間の協力の賜物と感謝している。

せっかくの機会なので、現在のクリニック概略をここに示す。職員は計13名。内訳は常勤医師3名（金谷誠久・山田幸平・青山）、常勤看護師5名（本橋・表江・海野・上原・原）、（非常勤1名、子育て中：上塚）、常勤事務員4名（小若・佐藤・福原・森永）。まさにクリニックチーム青山。本当に頼りがいがあり、一緒に働いて楽しいメンバーたちである。

第8章

ライフワーク——国際医療ボランティアへの参加

Ⅰ　私の行ってきた国際支援について

1　国際支援の経緯と概略

岡山医療センター在任中の２００３年（平成15年）、国際医療ボランティア・ジャパンハート（ＪＨ）の創設者吉岡秀人君から、３歳男児の巨大頚部腫瘍ウィン君の手術依頼を受けた。男児はミャンマーですでに２回の手術を受けたが、腫瘍が大きかったため取り切れず、歩行もできない状況であった。幸いにして岡山医療センターで全摘出し、歩行訓練などを指導し、無事に退院した。その後も難治例を年に一例程度引き受け、治療を行っていた。

２０１０年（平成22年）私が院長を退任した時、吉岡君から『先生、暇ができたでしょう、そろそろ外へ出ても良いのではないですか』との強い誘いがあった。それで東南アジアに出向い

ウィン君退院

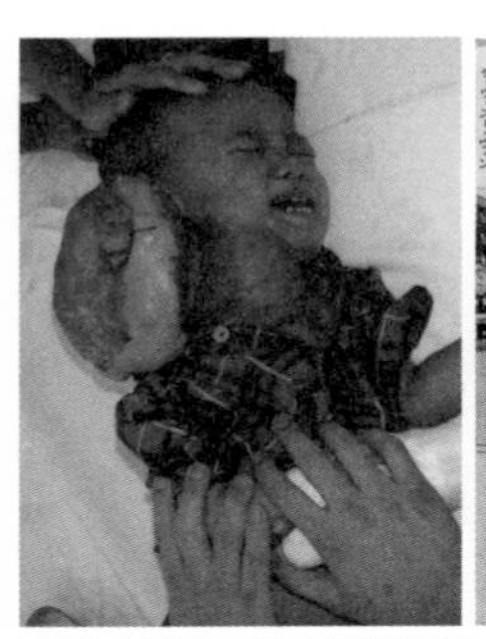

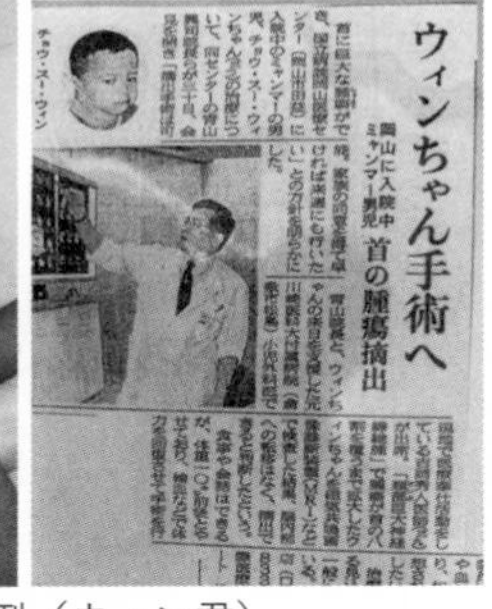

ウィンちゃん手術へ

岡山に入院中 ミャンマー男児 首の腫瘍摘出

最初の日本での手術症例（ウィン君）

て手術を行う事となった。私自身はその時は国際ボランティア活動にさほどの興味があったわけではなかった。

第１回の海外手術は２０１１年（平成23年）１月である。医師６名看護師１名の７名が参加した。カンボジィアで２日間、ミャンマーで４日間合計６日間の手術行脚であった。鎖肛関連５例、尿道下裂３例など合計23例の手術を行った。この時海外でボランティアとして手術をする事の楽しみと喜びを知った。

以後10年間ＪＨとの連携のもとにＮＰＯ法人中国四国小児外科医療支援機構（ＣＳＰＳ）のメンバーと『ザ・チーム青山』を結成し、東南アジアの子どもたちの手術を行ってきた。渡航先はミャンマー13回、カンボジィア４回、ラオス３回である。年間１～３回渡航し、１回の滞在期間は５日から２週間程度である。現在までの参加者のメンバーは医師が89名、看護師12名、その他理学療法士・一般職３名を合わせて１０４名であった。手術総数は３２５例で地域の特性もあり、小児泌尿器疾患が１７４例（尿道下裂１４４例）と多くを占めた（54％）。小児外科疾患では鎖肛が67例（21％）と最も多かった。手術の種類は種々であり、鎖

2011年最初の海外手術に出発：岡山駅で

肛・ヒルシュスプルング氏病・総排泄腔異常・胆道系疾患・悪性腫瘍・膀胱外反・尿道下裂など比較的重症な疾患であり、鼠径ヘルニア・停留精巣など軽症例はほとんど含まれていない。手術例の90％以上が日本小児外科学会専門医制度分類の高度な医療を要するBまたはCであった。手術は早朝から深夜近くまで及ぶ事が多い。年を経るうちに、我々の評判を聞いて遠くから半日以上かけて来院される患者さんも多くなった。本当にありがたいことである。私は全行程のすべての手術に参加し、若い先生たちとともに手術を行ってきた。参加者は基本的には交通費を含めてすべてボランティア参加である。

今年（２０２０年（令和2年））も2月に2週間ミャンマーに渡航し、20例の手術を行った。更に7月と12月に行く予定であったが、コロナウイルスのため延期せざるを得ない状況である。来年からはネパールを診療圏に加える予定である。私の手術を待ってくれている子どもたちのためにも1日も早くコロナウイルス感染症が終息する事を祈っている。

2　ミャンマーでの具体的な診療

①ワッチェ慈善病院での手術

ミャンマーは人口５３００万人の国で、南に最も大きい都市ヤンゴン（人口５２０万人）があり、北に第2の都市マンダレ（人口１２０万人）がある。我々はこのマンダレから約20km南西（車で概略1時間程度）のワッチェにあるＪＨが借りたワッチェ慈善病院で手術を行っている。１回の滞在は1週間程度。限られた日程なので、手術を開始する前日の夕方にワッチェに到着する。到着するとすでにＪＨにより集めていただいた40～50名の手術希望の患者さんが待機している。その患者さんを2、3時間かけて診察し、1週間の手術スケジュールを立てる。術前血液検査として感染症・血液一般・電解質の検査は可能であるが、検査機器は超音波と単純ＸＰの装置のみである。そのためほとんどの患者さんは画像検査なしの状態での手術となる。

ワッチェの病院に到着したとき、すでに多くの患者さんが待っている

手術はその翌日から開始する。日課は朝6時起床、掃除・瞑想を行い、食事を済まして朝のミーティングに臨み、手術は8時から開始する。手術は1日に3～5例で、昼食時間が十分取れる事はほとんどない。だいたい19時から21時頃までかかる、日付を超えることも珍しくない。いくら遅くなっても手術終了後には全員のカンファレンスを行い、その日の手術についての検討を行う。その後夕食を取り就寝である。その日のうちに床に入ることはまずない。いくら遅くなっても翌朝は6時起床で手術の日課に入る。通常、ワッチェ滞在の1週間の内1日はマンダレにある５５０ベッドマンダレ小児病院に出向いて

手術・カンファレンスを行っている。

②病院施設・病室・手術室・手術器具について

ワッチェ慈善病院はこの10年の間に年々改築・改良され、ベッド数は約１００床で必要な箇所にはエアコンが完備されている立派な病院である。子どもは基本的には大部屋対応で、我々が滞在中は20床程度を使用している。集中治療室（ＩＣＵ）はないので、大きな手術後は看護師詰め所の前のベッドで対応する。夏は蚊帳の中の母親の膝でのダッコがＩＣＵの役割を果たす。ベッドが一杯の時は車の荷台や雨がしのげる1階の吹きさらしの場所が術前の待機場所になる。その場合は手術直前から病棟に入ることになる。

患者さんを診察して1週間の手術を決める

手術室は少し狭い以外は比較的充実している。日本で使用するのと同等な麻酔器もあり、最近酸素も中央配管になった。ただ、時々停電になる事やハエが迷入する事は甘受せざるを得ない。器具はオートクレーブ滅菌が可能である。ただ、ガス滅菌が不能なので、電気メスなどは滅菌布カバーで使用せざるを得ない。手洗いの水は川から引いたもので、フィルターを通して入るが、無菌状況とは言い難い。そのため、手洗い後のアルコール消毒と滅菌手袋で対応している。手術器具は吉岡君の保持していたものに加え、私も種々持ち込んだ。その後も渡緬を繰り返す度に少しずつ追加し、今では手術器具も充実してきた。特殊器具（マイクロ手術用など）はその都度持参するが、基本的なものはほとんど揃っている。問題は消耗品であり、私の手術ミッションにおいては、ガーゼ・シーツ・糸などはほとんど日本から持参している。

③手術・術後の態勢

看護態勢は、充分に訓練を受けた現地スタッフがいるため、気持ちよく手術ができる。基本的には、数名のベテランミャンマー人の看護師に加え、日本人のＪＨのボランティア看護師から成り立っている。この日本人看護師たちは十分に経験を積んだ人たちばかりだが、小児医療のベテラン看護師はほとんどいない。子どもの経験は少ない人たちが、いきなり重篤な子どもの術前・術後を診る事になる。

しかし看護師にはあまり不安を感じたことがない。それは多額の研修費まで払って、粗食に耐え、ミャンマーまで来て医療を学ぼうという彼女たちの医療に対する心構えが違うからである。手術を食い入るように見て、分からない

入院病棟と回診風景

ことは一生懸命に勉強する。術後の患者にその輸液で良いか？　輸液量は？　など常に自分で考えて行動している。

④入院患者状況

我々の評判を聞いて遠くから半日以上かけて来院される患者さんも多い。そのため、祖父母、両親、兄弟など一家総出で入院される事もある。母親・患者・兄弟が同じベッドで就寝し、祖母がサイドベッドで寝ているのを見るのも微笑ましくて良い。

⑤通訳　コミュニケーション

国際支援に最も重要な事の一つが患者とのコミュニケーションである。特に小児外科領域においては、機能改善のための手術が多く、インフォームドコンセント（十分な説明と同意）の取得は重要な意味を持っている。現在までミャンマーにおいての我々の治療の結果に強く不満をいう人は経験していない。こちらが一生懸命に治療をしている所をかなり十分に評価していただいているからだと自負している。しかし、これに甘えることは決して許されるものではない。通訳を通してではあるが、十分な説明を心がけ、何よりも〈患者のために〉を考えた医療を行う必要がある。

⑥家庭訪問

回数を重ねる毎に、フォローアップの必要な患者も増えてきた。可能ならできるだけ、家庭を訪ねるように考えている。その家族の生活を見て治療に参考にする事も必要なことである。

⑦手術の責任態勢

我々の行っている小児の外科の手術は単なる摘出術は少なく、形成的手術・機能改善手術が多い。そのためには術後の経過を追い、その結果に責任を持つ必要がある。我々のチームは『ザ・チーム青山』と称している如く、青山（日本小児外科学会の指導医）がすべての手術に参加している。また、チーム構成では必ず、術者（複数）と麻酔ができる医師が同行している。これらを含め手術を中心とした国際支援においては、結果に責任を持てる継続性が非常に重要な意味を持つ。短期ボランティアで参加し、手術が終わって「はい、さようなら」であってはならない。

⑧若手医師と医療従事者の教育

私は同行医師の状況（経験年齢・実績）を判断して、手術患者の術者を決定している。参加医師にはできるだけ、執刀ができるように配慮する。万全な術前の検査なしに手術に入るため、若い医師が少し戸惑いを感じながら手術を進めるのをギリギリの状況でサポートするのが指導医の重要な役割と考えている。この手法は日本においても私自身が行ってきた方法である。また、参加者全員で現地の医療従事者の教育を行う。当然若いミャンマー人の看護師もいるので、よく分かるようにゆっくりしかもしっかり指導する。日本からボランティアで参加している看護師にも、病態を含めて詳しく説明指導する。

3　なぜこのような医療ができたのか？

一般的にボランティアであるなしにかかわらず、国外で手術をする事は容易ではない。受け入れ態勢が充分でなければ、わずかな期間に効率よく多くの手術をする事は不可能である。然るに我々の手術ミッションは東南アジア（主にミャンマー）に出かけて、滞在期間がわずか1、2週間の短期間に数多くの比較的重症な患者さんの手術を行う事ができている。その要因を考えてみた。

①楽しんで医療ができている

楽しんでボランティア医療ができている事が最も重要であると思う。実際に東南アジアに出て行って医療をしてみると日本で医療をするのとは少し異なる充実感がある。それはまず、医師と患者との良好な関係であり、医療の原点への復帰であると思えた。医師は求められた患者に対して誠心誠意精一杯の力を出して医療をする。患者は感謝の気持ちでこれに応える。そこには金銭が介在しないので、ビジネスとしての契約が成り立たない。介在するのは誠意と感謝である。一昔前の日本の医療のように感じる。

残念ながら日本の現状は、少し問題が起こるとすぐ訴えられるのではないかという恐怖感で萎縮医療になっている傾向がある。更にいえば、患者から治療を求められるという充実感があり、日本では経験する事が少ない疾患に対する新しい挑戦があり、多くの手術を通して後輩の指導が可能であり、患者さんと接する事による東南アジアの生活を肌で感じる事ができる事などである。これらを通して医師としてのみならず人としての心の安寧と充実感を得る事ができる。言い換えれば楽しいと思う医療ができるのである。私と共に参加した人のほとんどが同様な経験をすることになるので、後輩に一声をかけると喜んで参加する態勢が構築されている。

②受け入れ態勢・参加態勢が構築されている

国際支援の大原則は現地の子どもたちに良い医療を届ける事である。当然の事ながら未開地方では、保健活動の推進がより多くの子どもたちを救うことになる。ＪＡＩＣＡを含めた国際支援の多くは、そこに焦点が置かれている。現在我々の行っている国際支援は保健活動とは少し異なった形であり、現地の子どもたちへの手術支援である。海外で手術を行う場合、国によって規制や対応に相違がある。入国手続きの問題、人間関係の問題、費用負担の問題などにはいろいろな問題に対処する必要がある。幸いにしてこれらが上手く推進できたのはＪＨ（代表：吉岡秀人・２００４年（平成16年）設立）とＣＳＰＳ（代表：青山興司・２０１２年（平成24年）設立）が友好的に協調し、しっかりと役割分担をし、問題点の解決にあたってきたからだと思う。

ＪＨは本来東南アジアを中心に医療・保健・教育を通じて地域の発展に寄与するＮＰＯ法人であり、ＣＳＰＳは小児外科医療を必要とする子どもたちに良い医療を提供する医師を育てる事を目的に設立したＮＰＯ法人である。

現在の『ザ・チーム青山』ではこれらが上手く機能している。これが概略10年継続できた最大の理由である。その協調と役割分担について具体的に述べてみる。

経済的負担について

ＪＨの病院および連携病院で小児の手術をすべて無料で行う。そのためＪＨはボランティア組織として日本で多額の寄付を得ている。また、ＪＨでの研修費用も無料診療に役立っている。ＣＳＰＳは参加するときは必要な医療器具やガーゼなどミャンマーで手に入りにくい消耗品を持ち込んでいる。また、ＣＳＰＳからの参加者は交通費を含め全員無料奉仕であり、人件費負担のないように配慮している。

人的負担

手術に係わる医師は麻酔医を含めすべてＣＳＰＳからの派遣である。手術には看護師を含めたコ・メディカルの存在は欠かせないが、医師以外のスタッフはＪＨで対応している。

該当医師資格の問題

カンボジィア・ラオスでは排他的でないが、ミャンマーでは近年外国人医師の入国制限が厳しくなって医師の資格を問われるようになって来ている。これらの対応手続きはすべてＪＨが対応している。

患者選別の問題

患者選別は国際医療を行うにあたっては非常に重要な問題である。一つは手術対象者の選別であり、Ａさんではなく何故Ｂさんなのかという問題である。今一つは限られた医療資源をうまく使用するために、高度な医療を必要とする患者さんをどのようにして集めるかという問題である。基本的にはＪＨで集めた患者さんに対してＣＳＰＳの医師が手術適応を最終判断し手術を行っている。これらがすべてうまく機能しているのは、現地のＪＨ、特に河野朋子さんの力に負う所が大きい。

患者の術後管理

海外手術を始めた頃、苦難した事の一つである。我々のように比較的高度な医療を行う場合もっとも重要な事は、術中・術後管理である。滞在中は勿論我々が対応するが、帰国後の問題が大きい。特に術後管理は現地に任せる事になる。そのため滞在最終日は必ず手術全患者を診察し、現地の医師・看護師にしっかりと申し送りをする。現在、ＩＴが進んでおり、問題症例に関しては現地の看護師からの画像を含んだ綿密な報告を受ける事ができる。そのため、ほとんど日本での回診に近い状態で必要な指示をだす事が可能である。今までに300例を超える手術を行い、緊急膀胱瘻を2例、人工肛門を1例現地の医師にお願いした事がある。また、髄膜瘤摘出術後の脳圧亢進例などをマンダレ小児病院にお願いした事がある。マンダレ小児病院とは友好な関係を築いている事が効を奏している。

関係者の教育

同行するCSPSの若い医師の教育は重要である。日本ではあまり経験できないような症例が多くあるので、私自身は若い医師ができるだけ術者として経験できるような指導をしている。また、現地の医師・医療従事者の教育も重要であり、手術・カンファレンスなどでの指導態勢を強化している。

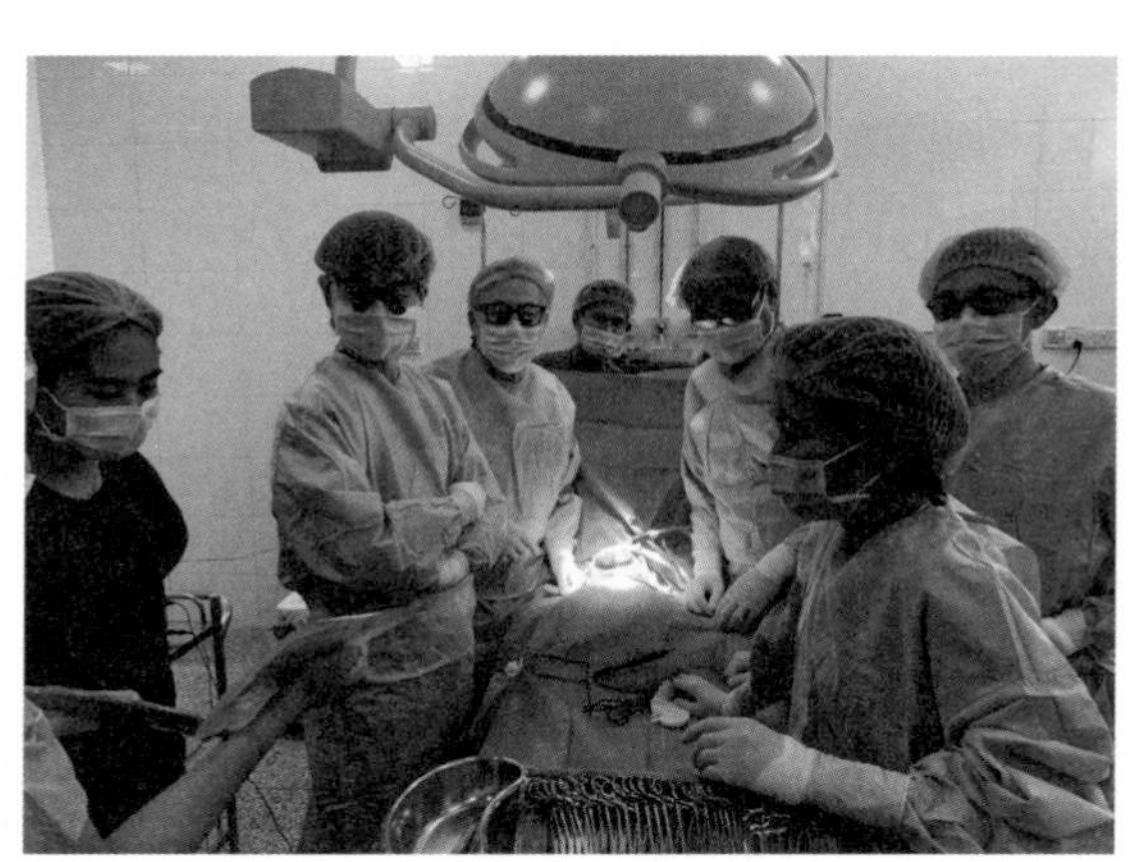

550ベッドマンダレ小児病院でMML教授と手術　左から３人目が私、右から３人目が教授

マンダレの小児病院との良好な関係

550ベッドマンダレ小児病院は年間手術数4000例の巨大な病院である。私が渡緬した

ときは必ず1日は訪問し、手術・講演・カンファレンスを行っている。現在までも小児病院で総排泄腔異常症や膀胱外反症など多くの手術をさせていただいた。また私が帰国後、術後の問題症例に対しても対応していただいた事もある。この友好的な関係が『ザ・チーム青山』が上手く機能している一因でもある。

Ⅱ 今後の国際支援の方向性について 日本の小児外科医の育成のために

1 手術技術の習得

現在の日本においては、最も手術を経験する必要のある年代の小児外科医が難易度の高い手術（日本小児外科学会分類Ｂ・Ｃ群）に出合える事が非常に少ない現実がある。これは、彼らの努力が足りないのではなくて、少子時代の日本においては小児外科医に対して絶対数としての症例数が不足しているからである。この解決には小児外科医の数を減ずるか、手術を必要としている所へ行って（東南アジア・アフリカなど）手術経験を増やすしかないと思う。今後は必ずその選択を迫られる時が来る。もし後者を選択するとすれば、相手国の状況を良く把握した上での対応が必要となる。ありがたい事に我々が行ってきた医療はある程度その目的に対応できるようになってきている。今後は日本小児外科学会としても、これを一つのモデルとして対応を考える事も必要になるであろう。

2　医療の原点を把握する

国際ボランティアにおいては参加する若い小児外科医が、現地の人と交わり、現地の生活を知ることになる。また厳しい手術環境も把握することとなる。その中で、金銭を介さないボランティア医療の素晴らしさを知る事となる。医療においてもボランティア精神が存在する世界があることを認識することになる。これは将来、良い医療を行う医師の教育には非常に有益であると思う。

国際支援を始めて10年、今では私のライフワークの一つになっている。

この国際支援を楽しんでできているのは、ひとえに私をその中に誘い込んでくれた、国際医療ボランティア・ジャパンハート創設者の吉岡秀人君のお蔭である。また、吉岡君と共に歩んできた心優しいＪＨの吉岡春菜現理事長、ミャンマー在住で我々の入国から患者さん集めなどすべてを仕切って実行されている河野朋子女史およびジャパンハート創設時からずっと家族で吉岡君を支えてきたミャンマー人職員テンゾー氏などジャパンハートの素晴らしいメンバーの方々には大変お世話になった。心から感謝している。更に私に同行してくれている中国四国小児外科医療支援機構のメンバー・留守中しっかりとクリニックを守ってくれている「青山こどもクリニック」の職員にも深く感謝の意を呈する。

注：吉岡氏と私はかって私が川崎医科大学で教鞭を執っていたとき師弟関係にあったので、今では私よりは遥かに優れている彼を親しみ込めてあえて吉岡君と呼ばせていただいた。
吉岡君　失礼！

おわりに

私の医師として生きてきた道『医道』について回顧録を書こうと決断して1年が経過した。

筆を進めるにつれ、医師としての生き方を教授していただいた優れた先輩諸氏、共に働き、私の医療を支えてくれた素晴らしい仲間たち、私と一緒に学問を楽しんでくれた学生たち、自らの身体を私の診療に委ねていただいた多くの患者さんとその家族、私に頑丈な身体を与えてくれた両親などへの思いが、走馬燈のように浮かんできて、しばしば筆が停滞した。これをまとめるのに紆余曲折があったが、山陽放送・石野常久氏、山陽新聞社・井上光悦氏の助言と吉備人出版の山川隆之さんの協力でやっと本にすることができた。

関係諸氏に心から感謝の意を呈したいと思う。

最後に、愚痴をこぼさず自由に私の〈医者バカ人生〉を貫かせてくれている妻陽子に感謝の意を表す。

2021年1月

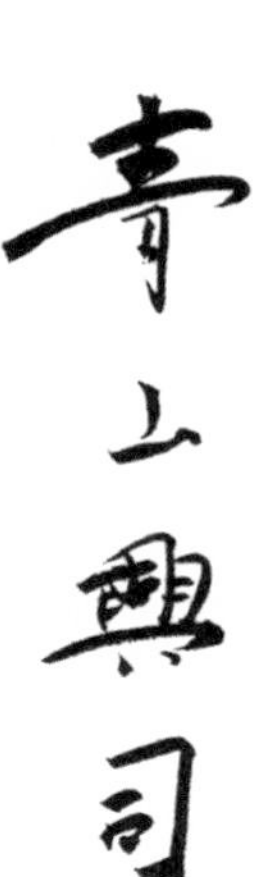

青山 興司（あおやま　こうじ）履歴

昭和17年11月1日生　広島県尾道市栗原東2丁目2153-1
昭和24年4月　尾道市立栗原小学校　入学
昭和30年3月　尾道市立栗原小学校　卒業
昭和33年3月　尾道市立栗原中学校　卒業
昭和36年3月　広島県立尾道北高等学校　卒業
昭和37年4月　岡山大学医学部　入学
昭和43年3月　岡山大学医学部　卒業
昭和43年4月　岡山大学　小児科
昭和43年7月　国立岡山病院　小児科
昭和47年7月　大阪市立小児保健センター　外科
昭和49年7月　国立岡山病院　小児外科
（昭和52年　メルボルン小児病院：小児外科）
昭和57年4月　国立岡山病院　小児外科医長
（昭和59年　ピッツバーグ大学：肝臓移植）
平成 9年7月　川崎医科大学　外科学（小児）教授
平成16年4月　独立行政法人国立病院機構岡山医療センター　院長
平成22年4月　独立行政法人　国立病院機構岡山医療センター 名誉院長
平成22年4月　社会福祉法人　旭川荘　特別顧問
平成24年4月　尾道市立総合医療センター総長（尾道市病院事業管理者）
平成25年5月　尾道市立総合医療センター総長　退任
平成28年12月「青山こどもクリニック」開設・院長

現職（令和２年）
「青山こどもクリニック」 院長
独立行政法人国立病院機構岡山医療センター　小児外科顧問・名誉院長
国際ボランティア・ジャパンハート　臨床指導教授
NPO法人中国四国小児外科医療支援機構　理事長

現資格
日本小児外科学会：小児外科指導医
日本小児科学会　：小児科専門医
日本外科学会　　：外科専門医

著書
基本小児外科学（日本小児外科学会教育委員会編）
新外科学大系―小児外科―（中山書店）
図説泌尿器学講座（メジカルビュー社）
小児泌尿器科手術（メジカルビュー社）
子どもの病気相談Q&A（山陽健康ブックス）
小児外科看護の知識と実際（メディカ出版）　など

受賞歴（主なもの）
平成23年 岡山県医療功労賞（読売新聞社賞）　受賞
平成23年 厚生労働大臣賞（医療功労賞）受賞
天皇陛下・皇后陛下拝謁
令和2年　瑞寶中綬章　受賞

著者プロフィル

青山興司（あおやま・こうじ）

1942年（昭和17年）広島県尾道市生まれ。
岡山大学医学部卒業。国立岡山病院小児外科、メルボルン小児病院外科、国立岡山病院小児外科医長、川崎医科大学外科学（小児）教授、 独立行政法人国立病院機構岡山医療センター院長などを経て、2016年（平成28年）に「青山こどもクリニック」を岡山市北区に開院。
現在は、青山こどもクリニック院長、独立行政法人国立病院機構岡山医療センター名誉院長・小児外科顧問、国際ボランティア・ジャパンハート臨床指導教授、ＮＰＯ法人中国四国小児外科医療支援機構理事長。

【受章】厚生労働大臣賞（医療功労賞）受賞2011年（平成23年）、岡山県医療功労賞（読売新聞社賞）受賞2011年（平成23年）、瑞寶中綬章受賞2020年（令和２年）

【現資格】小児外科指導医、小児科専門医、外科専門医

【著書】『基本小児外科学』（日本小児外科学会教育委員会編）、『新外科学大系―小児外科―』（中山書店）、『図説泌尿器学講座』（メジカルビュー社）、『子どもの病気相談Q&A』（山陽健康ブックス）、『小児外科看護の知識と実際』（メディカ出版）など多数

医道　―小児外科医50年の軌跡―

2021年2月28日　発行

著者　青山興司

発行　吉備人出版
〒700-0823 岡山市北区丸の内2丁目11-22
電話 086-235-3456　ファクス 086-234-3210
ウェブサイト www.kibito.co.jp
メール books@kibito.co.jp

印刷　株式会社三門印刷所

製本　日宝綜合製本株式会社

ISBN978-4-86069-639-9　C0047

私の行って来た国際支援

Ⅰ　日本での最初の手術　ウィン君

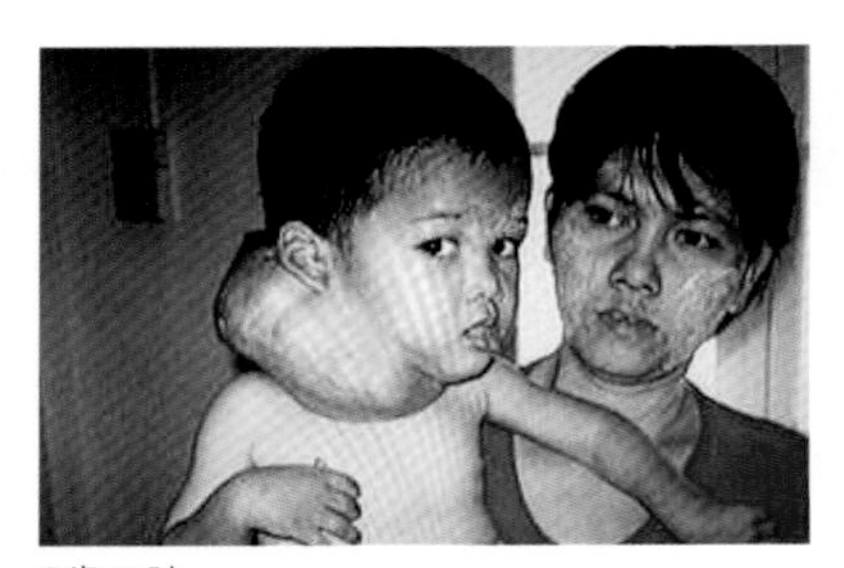

2歳の時

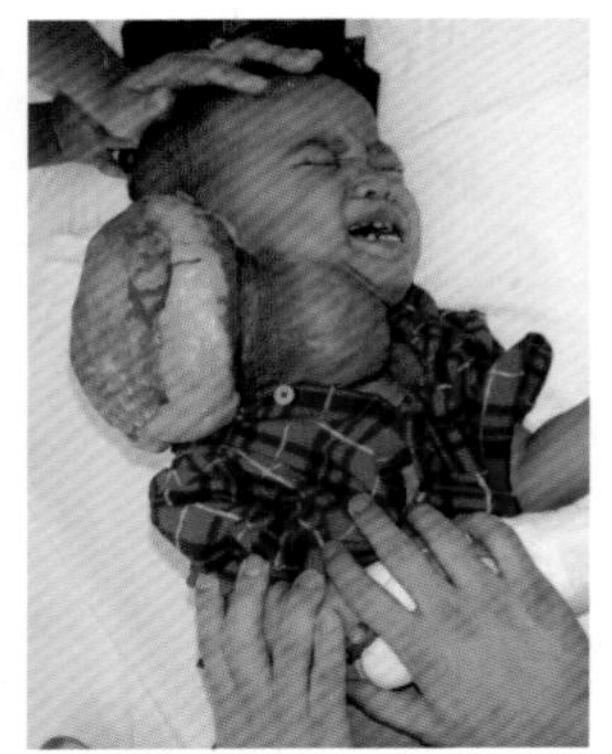

3歳　来院時

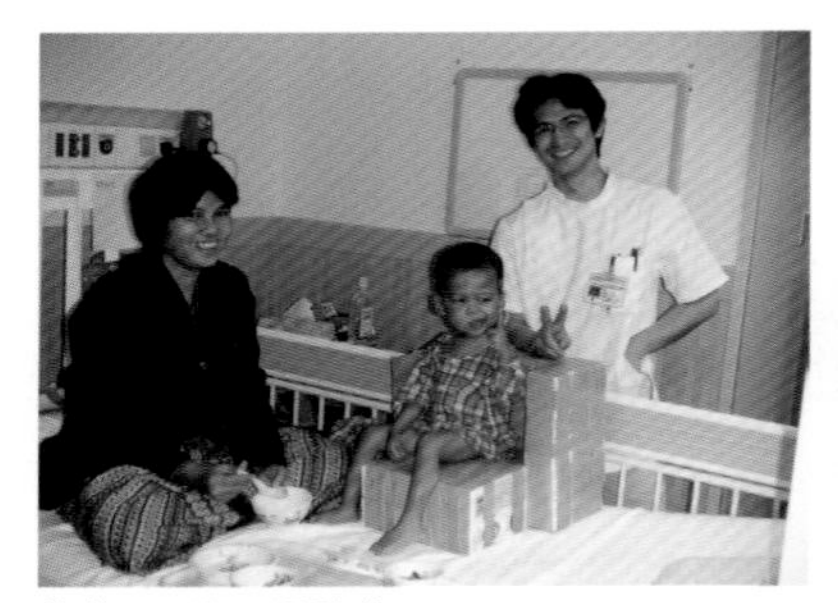

術後1ヶ月　退院前

退院時　左端がJHテンゾーさん　左から2人目がJH吉岡先生

10歳　術後7年目：ワッチェにて再会

14歳　術後12年目　ウィン君の自宅訪問

Ⅱ　仲間とともに

2011.1　第1回　関空出発

2012　第3回　10人の仲間と

2015　第9回　宿舎の片隅に、マンゴーの木を植樹

2016　第10回　宿舎を出発　マンダレ小児病院へ向かう

2019　第19回　ヤンゴンJH事務所前で　右から3人目が吉岡春菜JH理事長

2020　第20回　ヤンゴン国際空港　右端がJH河野さん親子

Ⅲ　ワッチェ慈善病院到着：
すでに多くの患者さんが待っている

Ⅳ　ワッチェ慈善病院到着直後から診察：一週間の手術患者の決定

混雑した外来風景

V　ワッチェ慈善病院回診風景

通訳を介して
患者とコミュ
ニケーション
をとる

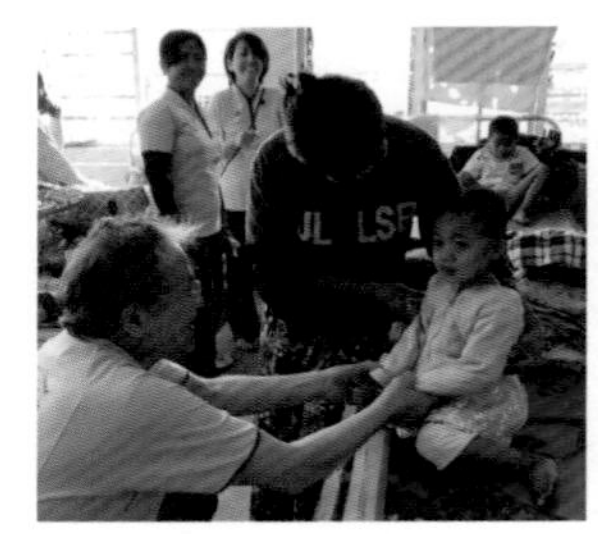

回診終了後、患者・スタッフと　前列右端が河野さん

Ⅵ　ワッチェ慈善病院手術風景

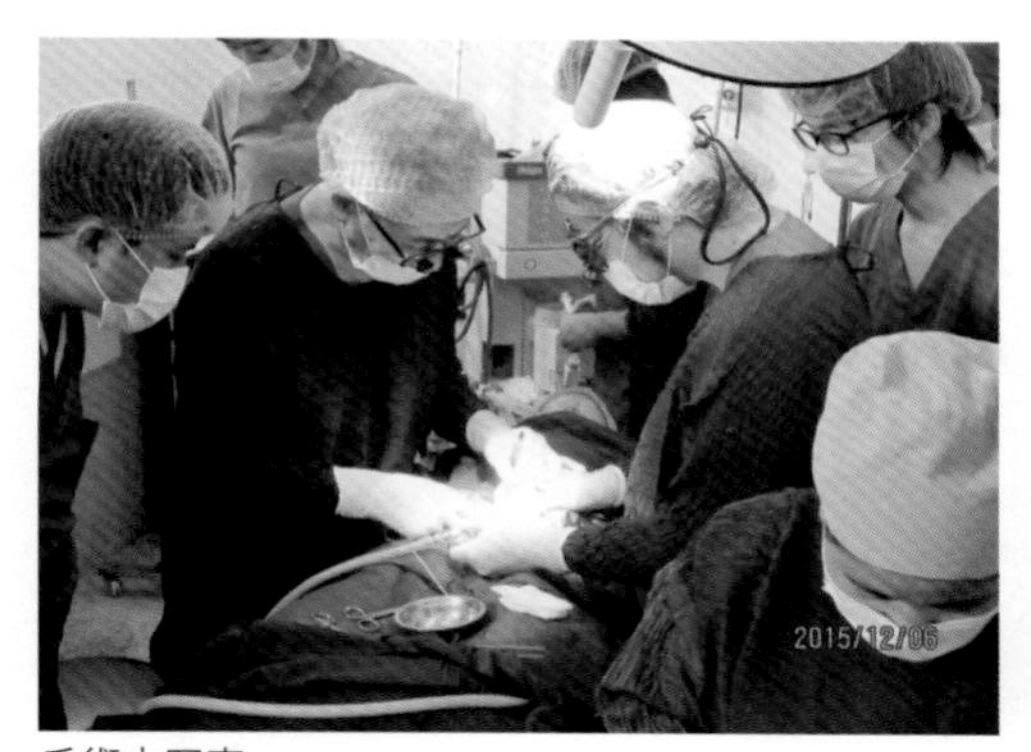

手術中写真

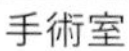

手術室

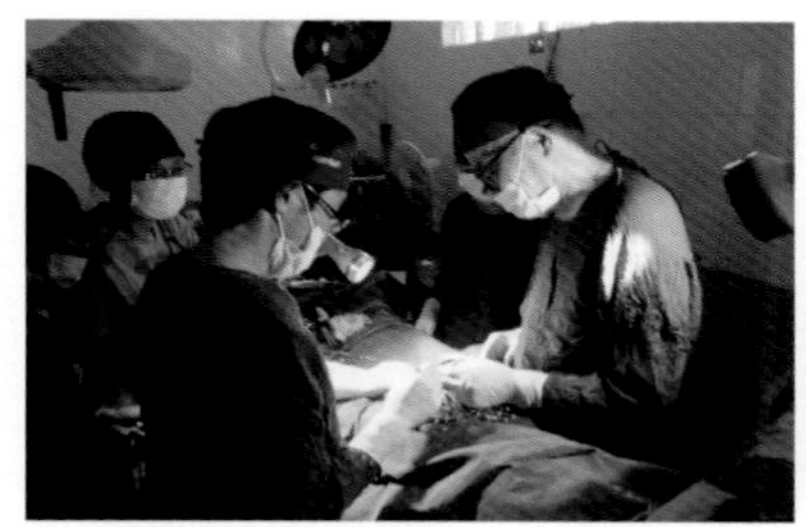

時々停電がある。懐中電灯下の手術

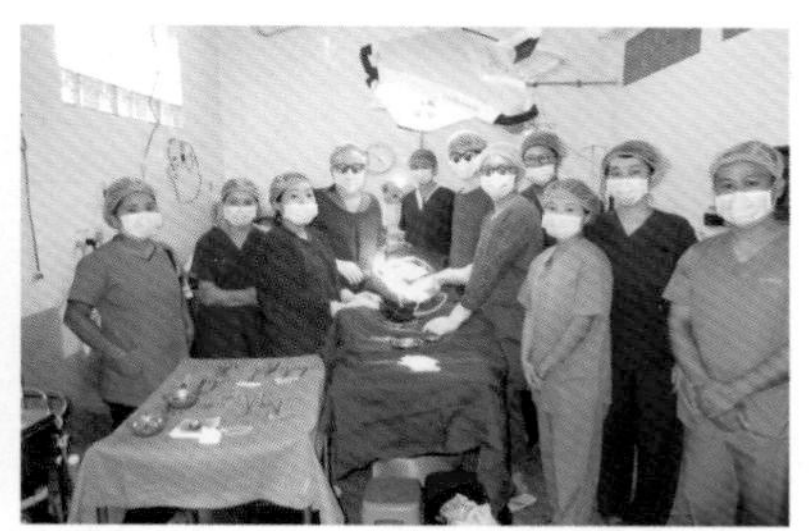

手術直前の写真

手術後、皆でホット一息。前列左端がJH河野さん。左から3人目がJHテンゾーさん

川から引いた水で手洗い。一応はフィルターを通しているが

Ⅶ　ワッチェ慈善病院術後のカンファレンス

眠くてもその日の手術の反省会を行う。皆少々疲れ気味？

時計の針は深夜1時に近づいている

手術症例の呈示。青山が一例毎コメント

カンファレンス終了、これから夕食のため寮に帰る。
前列左から2人目がボストンから応援に来てくれた堀田先生

Ⅷ　病院周辺環境

ワッチェ慈善病院入り口

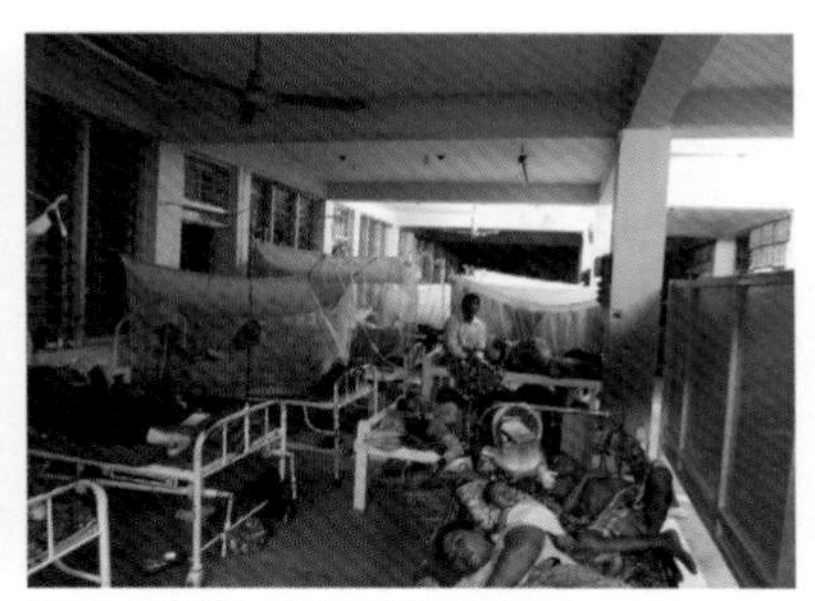

夜間の病棟　夏は蚊帳対応

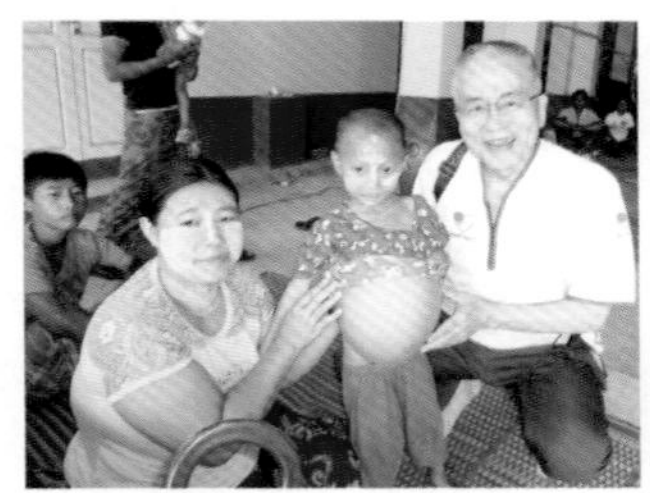

病棟が混む時は、手術前日まで吹きさらしの１階で宿泊

病院の朝　近所の人・患者家族と揚げパンを

看護師詰め所前。母のだっこがICU代わり

5年前に建てられたJHの立派な寮

Ⅸ　ワッチェでの生活

2012　屋台での朝食（基本はヌードル）

2014　屋台がきれいに整備された（ヌードルは変わらない）

早朝からのラジオ体操（毎日）

患者からマンゴーの差し入れ。思わず頬が緩む

ボランティア職員が順番につくる食事。とても美味しい

3年前に青山が宿舎に植えたマンゴーの木。今は3mを超えた

X　550ベッドマンダレ小児病院訪問

小児病院入り口付近で。中央がM.M.Lwin 教授

小児病院内でM.M.Lwin 教授と

回診中

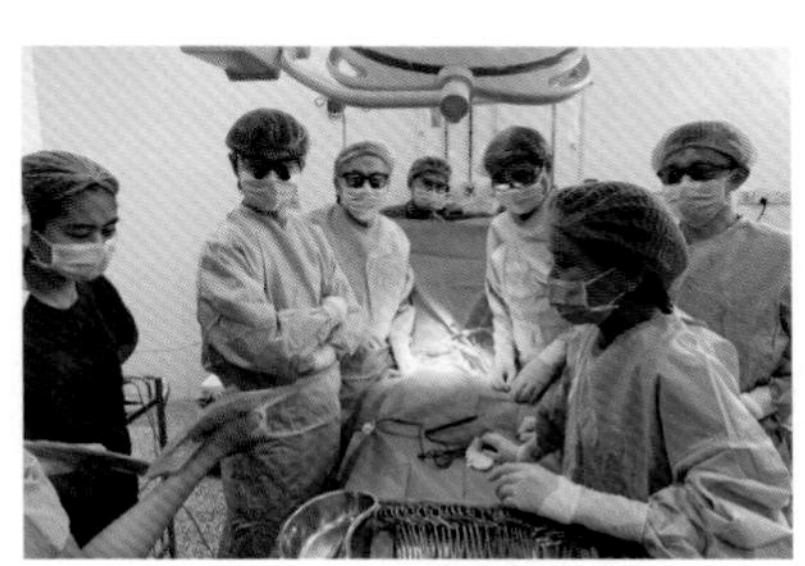

M.M.Lwin 教授と一緒に手術

小児病院外科のスタッフと

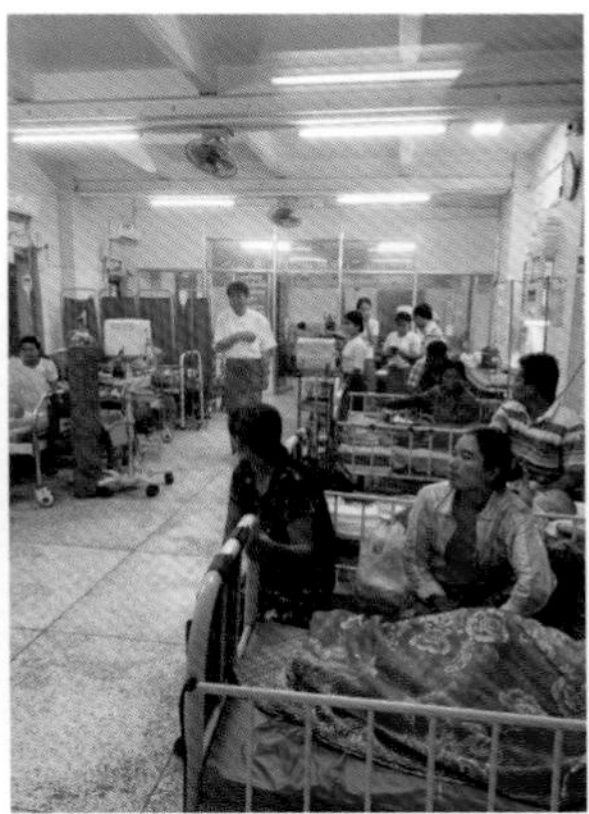

小児病院
外科病棟

XI　カンボジィアJHの病院（AAMC）にて

AAMCの入り口

AAMCの入り口付近の広いロビー

別の角度から見た入り口付近

広々とした職員詰め所

院内にあるプレイルーム
（中山忍さん作壁画）

帰国前にお別れ。青山の右隣がAAMCの企画、建設に多大の貢献をされた長谷川さん。右端が神白院長

XII　カンボジアAAMCでの診療・手術

到着後すぐに患者さんの診療

岡山で手術したマカラ君の診察。私の左隣が嘉数先生（小児がん専門医）

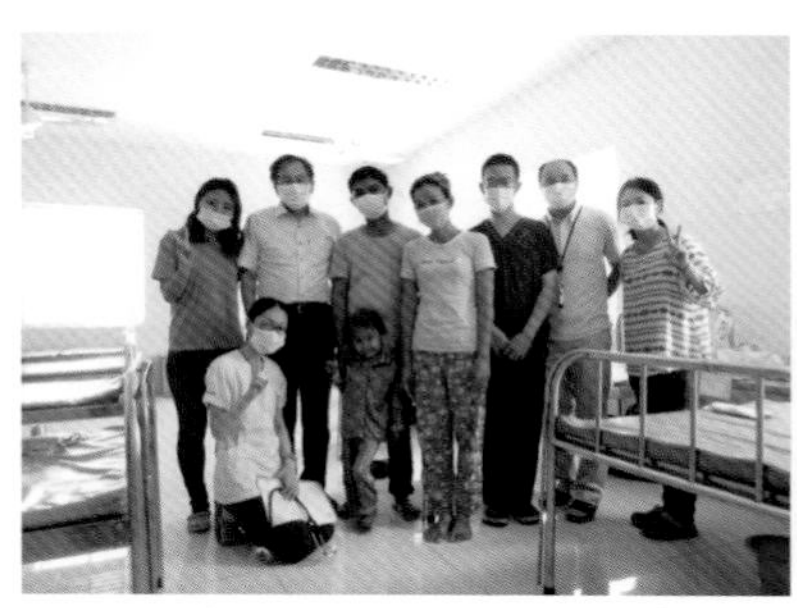

岡山で手術したレッカーナちゃん（小児がん化学療法中）の診察。前列左端が神白AAMC院長

嘉数先生を中心にカンファレンス

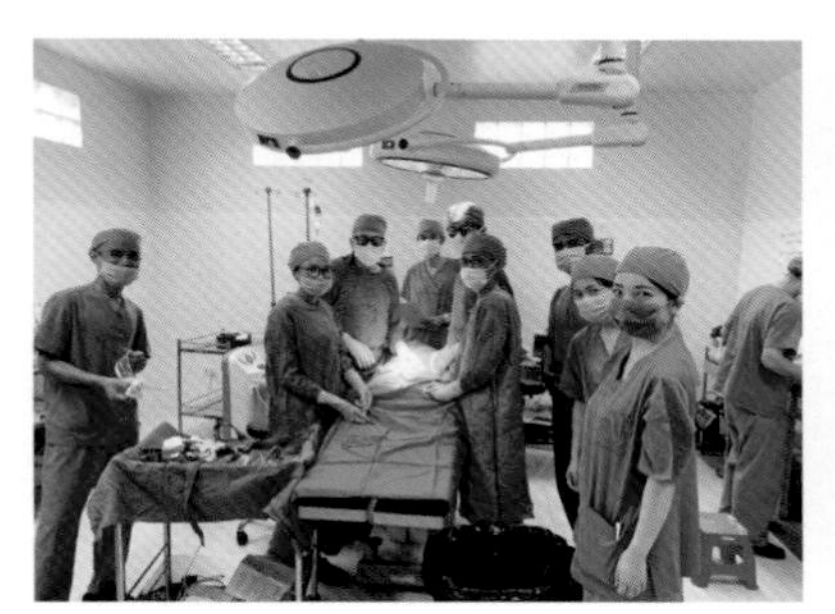

手術開始。手術室は整備されている

朝食は近くの屋台食堂で地域の人とともに

XIII　ラオスでの診療・手術

ラオスこども病院での手術（病院の先生と一緒に）

ラオスこども病院での術前カンファレンス

ラオスこども病院病棟

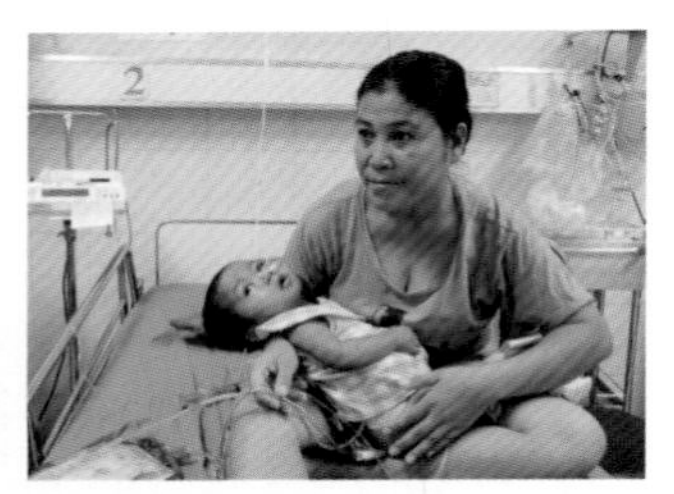

肝硬変を伴う胆道拡張症児の術後1日目。母のだっこがICU代わり

ビエンチャンから車で4時間かけての訪問診療。患児の通う学校を訪れた。国際ジャーナリスト土倉氏（青山の左）と

一時の休息。メコン川河川敷での夜店にて。右から2人目がラオスでJHの医療活動の立ち上げに多大な貢献をされた平山さん

XIV　術後患者の経年診療・自宅訪問１
ミャンマー：ニーニーちゃん

2011.11　ミャンマーにて。学校に行けない。総排泄腔外反症と診断

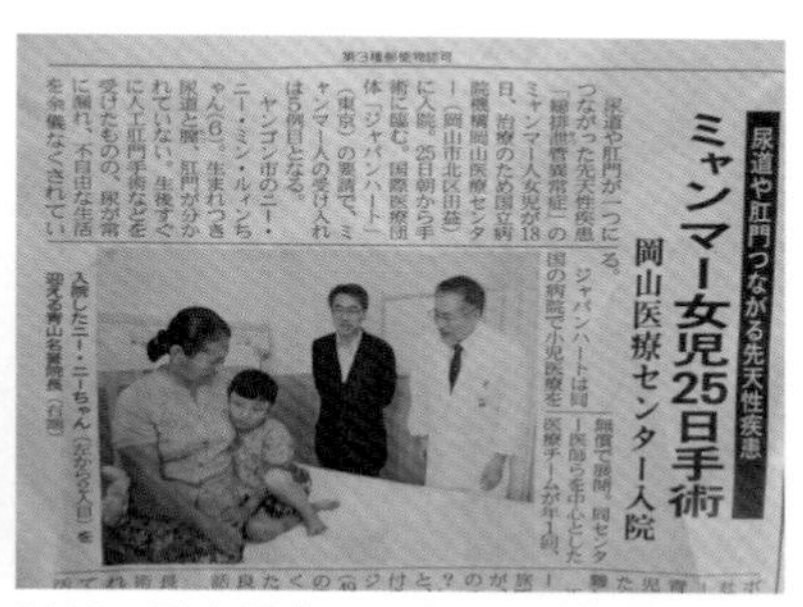

第3種郵便物認可

尿道や肛門つながる先天性疾患

ミャンマー女児25日手術

岡山医療センター入院

尿道や肛門が一つにつながった先天性疾患「総排泄腔異常症」のミャンマー人女児が18日、治療のため国立病院機構岡山医療センター（岡山市北区田益）に入院。25日朝から手術に臨む。国際医療団体「ジャパンハート」（東京）の要請で、ミャンマー人の受け入れは5例目となる。

ヤンゴン市のニー・ニー・ミン・ルィンちゃん（6）。生まれつき尿道と膣、肛門が分かれていない。生後すぐに人工肛門手術などを受けたものの、尿が常に漏れ、不自由な生活を余儀なくされている。

ジャパンハートは同国の病院で小児医療を無償で展開。同センター医師らを中心とした医療チームが年1回、

入院したニー・ニーちゃん（左から2人目）を迎える青山名誉院長（右端）

2012　岡山医療センターで手術。手術時間15時間

術後1ヶ月

2013（術後1年）自宅訪問

2013　わざわざ着替えて見送りをしてくれた

以後毎年ヤンゴンの自宅を訪問　写真は2019（術後7年）

XV　術後患者の経年診療・自宅訪問 2
ラオス：ナムソムちゃん

来日に不安を抱いて。飛行機の中

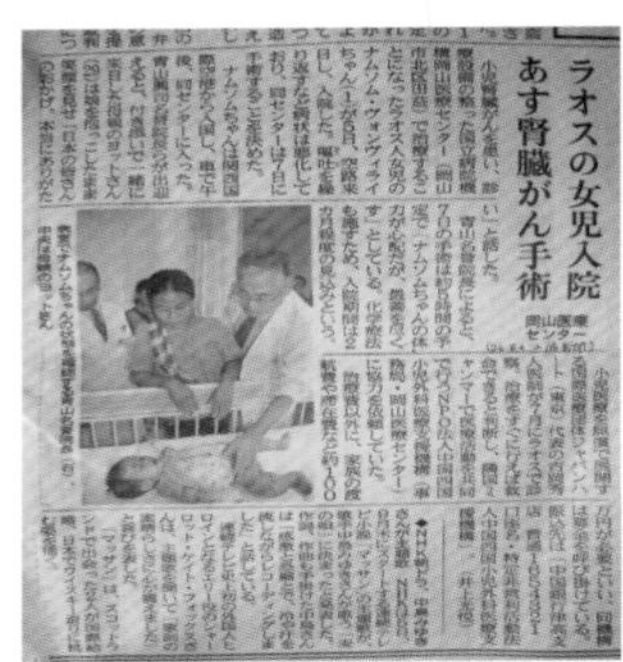

ラオスの女児入院
あす腎臓がん手術

岡山医療センター

2014.8 新聞：来院2日目に手術（腎臓がん）

2015.4　ビエンチャンから車で7時間。自宅（床上式住宅）を訪問

2015.4　大家族の歓迎出迎え。左から2人目が平山さん。その右が青山と患者家族。その右の５名が伯父家族。両端は祖父母

2016.7　術後1年　ラオスにて診察

2019　術後4年　ラオスにて診察